İSTANBUL BÜYÜKŞEHİR BELEDİYESİ   KÜLTÜR A.Ş

İSTANBUL'UN

100

ÇEŞMESİ ve SEBİLİ

GÜL SARIDİKMEN

Sevgili Ergun Ağabey'e

Ağustos 2018

İSTANBUL'UN YÜZLERİ ˜ 68

İstanbul Büyükşehir Belediyesi Kültür A.Ş. Yayınları

İSTANBUL'UN YÜZLERİ ˜ 68
İSTANBUL'UN 1OO ÇEŞMESİ ve SEBİLİ
Gül Sarıdikmen

Yayın Koordinatörü
Kültür A.Ş. Projeler Müdürü
Fatih Yavaş

Editör
Betül Eren

Yayın Danışmanı
Ömer Faruk Şerifoğlu

Konsept Yönetmeni
Dündar Hızal

Dizi Editörü
Uğur Aktaş
Güney Ongun

Grafik Tasarım
Tuğrul Peker
Jana Ohanesyan

Kapak Fotoğrafı
Eski yerindeki Hamidiye (I. Abdülhamid Han) Sebili ve Çeşmeleri.
19. yüzyıl sonu, genel görünüş.
Sultan II. Abdülhamid Yıldız Fotoğraf Arşivi

Baskı Yılı
2013

Proje Yapım
Kült Ltd. / +90 212 251 3940
www.kult-art.net

Copyright © Kültür A.Ş. 2010
ISBN 978-605-4595-32-7

Yayınevi Sertifika No: 15321
Matbaa Sertifika No: 22235

Maltepe Mahallesi Topkapı Kültür Parkı Osmanlı Evleri 34010
Topkapı / Zeytinburnu / İstanbul
T. 0212 467 0700 F. 0212 467 0799
www.kultursanat.org / iletisim@kultursanat.org

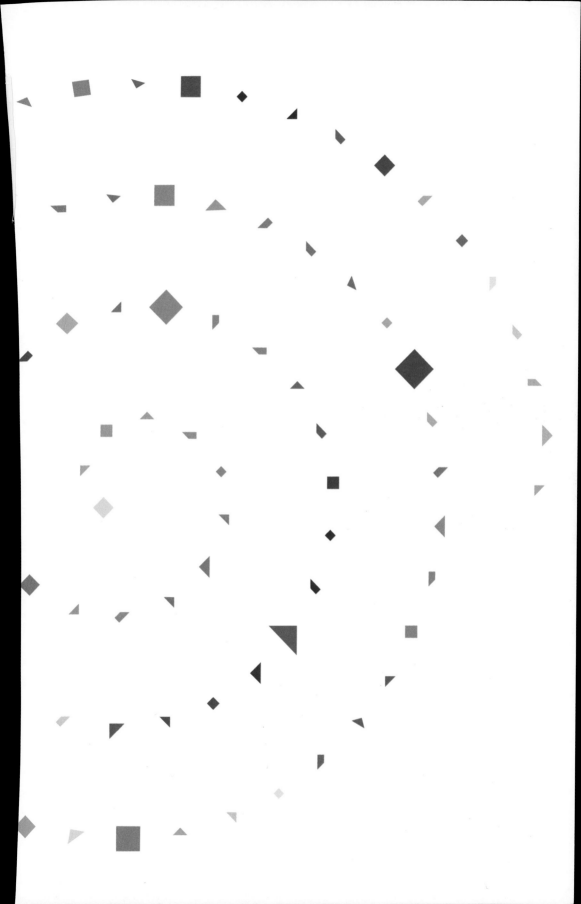

İÇERİK

SUNUŞ

Sevgili İstanbullular,

Kıtaların ve kültürlerin buluşma noktasında yer alan İstanbul üç imparatorluğa başkentlik yapmış bir şehirdir. Tarihinin her döneminde bir "dünya kenti" olan İstanbul siyasî, iktisadî ve kültürel bir merkez olma niteliğini halen korumaktadır. Küreselleşmenin etkilerinin güçlü olarak hissedildiği ve şehirlerin büyüyüp dünyanın küçüldüğü zamanımızda önemini ve cazibesini korumaya devam etmektedir. İstanbul'un 2010 Avrupa Kültür Başkenti olarak seçilmesi bunun açık bir göstergesidir.

2010 Avrupa Kültür Başkenti sürecinde birçok etkinliği başarıyla gerçekleştirdik. Bu faaliyetler arasında İstanbul ile ilgili yayınlarımız önemli bir ağırlık taşımaktadır.

Şehrimizin tarihi, kültürel ve edebi değerleri üzerine yazılmış eserleri okuyucularla buluşturmaya önem veriyoruz. Bu eserlerin hem İstanbul'un dünya ile diyaloğunun zenginleşmesine hem de İstanbul'da kentlilik bilincinin gelişmesine büyük katkı sağlayacağına inanıyoruz. Tarih, kültür, bilim, sanat, edebiyat gibi pek çok sahada İstanbul'un farklı yüzlerini tanıtan "İstanbul'un Yüzleri" serisini de İstanbul kent kültürüne bir katkı olarak yayınlıyoruz.

İstanbul Büyükşehir Belediyesi olarak İstanbul ile ilgili nitelikli yayınları bundan sonra da sizlerle buluşturmaya devam edeceğiz. Geçtiğimiz dönemde yeni müzeleri, tiyatro salonları ve sanatsal aktiviteleri ile dinamik bir kültürel merkez haline gelen ve kültür-sanat alanında uluslararası bir cazibe merkezi olan İstanbul'u her geçen gün daha ileriye taşıyacağız.

İstanbul'un 2010 Avrupa Kültür Başkenti seçilmesi nedeni ile başlattığımız "İstanbul'un Yüzleri" serisinin yayına hazırlanmasında emeği geçenlere teşekkür ediyorum. Bu vesileyle tüm İstanbullulara sevgi ve saygılarımı sunuyorum.

Kadir TOPBAŞ
İstanbul Büyükşehir Belediye Başkanı

TAKDİM

〰〰〰〰〰

Su, pek çok medeniyet ve din için var olmanın temel kaynaklarından biri olarak kabul edilmiştir. İstanbul için ise su, coğrafî konumunun da etkisiyle, günlük temel ihtiyacın dışında, ticaret, ulaşım, tarım gibi çeşitli alanlarda da tarih boyunca hayatî önem taşımıştır.

Su temininin her dönemde oldukça meşakkatli olduğu İstanbul'da günlük hayatta suyun etkin ve verimli olarak kullanılması için fetihten sonra yıpranmış Bizans suyollarının tamir edilmesi, mevcut sistemin geliştirilmesi ve bu konuda yeni çalışmalar yapılması, bu alanda şehrin geçirdiği dönüm noktalarından biri sayılmaktadır. Kanuni Sultan Süleyman'ın suyolları yapımı ve tamiri ile sukemerleri vasıtasıyla hamamlar, sebiller, çeşmeler için su teminini sağlama amaçlı hususi bir vakıf kurması ise bu konuya verilen önemin en güzel örneklerindendir.

İstanbul'un Yüzleri Projesi kapsamında yayıma hazırladığımız elinizde bulunan İstanbul'un 100 Çeşmesi ve Sebili adlı eserde ise, bugün işlevini sürdüren ve sürdürmeyen, İstanbul'un Avrupa ve Anadolu yakasında çeşitli semtlerde bulunan yüzlerce çeşmeden ve sebilden 100 tanesine yer verilmiştir. Şehre su temin etmek için yapılan ve su medeniyeti İstanbul'un birer remzi haline gelmiş örneklerini de içeren bu yapıların pek çoğu, hizmet amaçları dışında sahip oldukları gelişmiş mimari estetik açısından da önem taşımaktadır. Bu sebeple kitapta, çeşme ve sebillere dair tarihi bilgilerin yanı sıra yapıldıkları dönemin üslubunun bir yansıması olan tezyinatlarla ilgili bilgiler de bulunmaktadır.

İstanbul Büyükşehir Belediyesi Kültür A.Ş. olarak, günlük hayattaki işlevleri ve sanatsal değerleri unutulmaya başlanan çeşme ve sebillerin İstanbul'un 100 Çeşmesi ve Sebili kitabıyla hafızalarımızı tazelemesini, şehre yeni bir farkındalıkla bakmamızı sağlamasını ümit ediyoruz.

Kültür A.Ş.

ÖNSÖZ

~~~~~~~~~

Roma ve Bizans dönemlerinin ardından 1453'te Osmanlı hakimiyetine giren İstanbul'da, su tesislerinin inşası hız kazanmış, ilerleyen süreçte çok sayıda çeşme ve sebil inşa edilmiştir. 20. yüzyıl başlarında teknolojinin ve yaşam standartlarının yükselmesiyle birlikte, tüm evlere şehir şebeke suyu ulaştırılmaya başlanmıştır. İstanbul'un hemen her köşesinde karşılaşılan çeşmeler ve sebiller önemlerini yitirmeye başlamış ve işlev dışı kalma sürecine girmiştir. Osmanlı su mimarisi içinde özel bir yeri olan ve 20. yüzyıl başlarına kadar, İstanbul'un sokak köşelerini, yapıların cephelerini, meydanlarını süsleyen sebillerden hayır amacıyla taslarla susamış insanlara soğuk sular, buz gibi bal şerbetleri sunulmuştur. Şehir şebeke suyu evlere ulaşınca unutulan ve kendi hallerine terk edilen çeşme ve sebillerin birçoğu harap ve bakımsız bir durumda kalmıştır. Sebillerin büyük bölümü, gerçek işlevi olan hayır için su dağıtmanın dışında, büfeden ofise, matbaadan lokantaya, her türlü hizmetin verildiği yerler olmuştur.

İstanbul sebilleri ile ilgili İzzet Kumbaracılar tarafından hazırlanarak 1938'de yayımlanan *İstanbul Sebilleri* adlı kitap ve İstanbul çeşmeleri ile ilgili İbrahim Hilmi Tanışık tarafından hazırlanarak 1943'te yayımlanan *İstanbul Çeşmeleri I –İstanbulCiheti* ve 1945'te yayımlanan *İstanbul Çeşmeleri II Beyoğlu ve Üsküdar Cihetleri* adlı kitaplarda yer alan yüzlerce çeşme ve sebilin bir kısmı yok olmuş ya da harabe hale gelmiştir. İşlev dışı kalmaları yanında, özellikle 1950'li yıllarda artmaya başlayan göçlerle hızlı kentleşme sürecine giren İstanbul'da, yoğun yapılaşma ve yol genişletme çalışmaları başta olmak üzere, pek çok nedenle çeşme ve sebillerin bir kısmı zarar görmüş ve yok edilmiştir. Günden güne sayıları azalan çeşme ve sebillerin onarımları, son yıllarda yeniden önem kazanmış, başta İSKİ olmak üzere birçok kuruluşun katkılarıyla kültür mirasımız olan bu eserlerin onarım ve korumalarına yönelik çalışmalar umut verecek yönde ilerleme göstermiştir.

Bu çalışmada, İstanbul'un su medeniyetini oluşturan binden fazla çeşme ve sebilden sadece yüz tanesine yer verilmiştir. Hepsi birbirinden güzel ve kıymetli olan çeşme ve sebillerin seçim aşaması, oldukça zorlayıcı olmuştur. Avrupa ve Anadolu yakasından merkezlerde, ana güzergahlarda yer alan, kronolojik olarak mimari ve süsleme açısından döneminin tipik özelliklerini yansıtan örneklerin seçilmesine özen gösterilmiştir.

İstanbul'da sokak aralarında, köşe başlarında, meydanlarda, her yerde karşılaşılabilen çeşme ve sebiller insanların hayatına bir şekilde girmiştir. Çocukluğumun geçtiği Beşiktaş'ta, evimizin hemen yanındaki Ramiz Ağa Çeşmesi'nden dolayı, en güzel çocukluk hatıralarımı hep bu mermer çeşme süsler. Belki çocukluktan gelen bir tutku ile yıllardır süregelen çalışmalarım arasında, araştırmaktan en keyif aldığım eserler olan çeşme ve sebillerle ilgili bu kitabın hazırlanmasına hem vesile olan, hem de büyük destek veren Ömer Faruk Şerifoğlu'na ve aileme teşekkürlerimi sunarım.

İstanbul'un en görkemli hazineleri arasında yer alan çeşme ve sebillerin bizden sonraki kuşaklara da aktarılabilmesi temennisiyle...

Bu kitabın hazırlıkları sırasında, 25 Mart 2012'de ansızın aramızdan ayrılan sevgili babam Ali Sarıdikmen'in aziz hatırasına...

Gül Sarıdikmen, 2012, Çanakkale

GİRİŞ

Hayatın vazgeçilmezi olan su ve suyu insanlara ulaştıran yapılar, İstanbul'daki mimarlık örnekleri içinde ayrıcalıklı bir yere sahiptir. Yüzyıllar boyunca önemli yerleşim merkezlerinin başında gelen İstanbul, su tesisleri ve yapıları açısından oldukça zengindir. Roma ve Bizans imparatorlarının yaptırdıkları su tesislerine ilave olarak Osmanlı sultanları çok sayıda su tesisi yaptırarak günden güne artan nüfusuyla İstanbul'un su ihtiyacını karşılamaya çalışmıştır. İstanbul, Roma ve Bizans zamanından kalan suyolları, sukemerleri, bentler, üstü kapalı sarnıçlar, üstü açık sarnıçlar ve su kuyularının yanı sıra Osmanlı döneminden kalan bentler, sukemerleri, maslaklar, havuzlar, maksemler, su terazileri, şadırvanlar, hamamlar, selsebiller, kuyu bilezikleri ve özellikle çeşmeler ve sebilleriyle önemli bir su medeniyeti merkezi olarak değerlendirilir.

Su, Türk ve İslam kültüründe çok özel bir yere sahiptir. Yaşamak için suya ihtiyaç vardır. "Su gibi aziz ol" deyişi, suya verilen değerin en öz ifadesidir. İslamiyet'te en büyük sevapların başında, susuzlara içme suyu temini gelir. Çeşitli ayetlerde ve hadislerde suyun önemi vurgulanmıştır. Bu sebeple başta hükümdarlar ve yakın çevresindekiler olmak üzere maddi olarak gücü yeten herkes, su temini için su tesisleri, çeşme, sebil yaptırmaya çalışmış ve bunların onarımlarını, bakımlarını üstlenmiştir. Su ihtiyacını gidermek açısından sadece insanlar değil, diğer canlılar da gözetilmiş, çeşmelere bazen yalak eklenerek hayvanların da su içebilmesi sağlanmıştır.

Hayır amaçlı olarak çok sade, basit, küçük ölçekli sokak çeşmelerinin yanı sıra oldukça görkemli, anıtsal meydan çeşmeleri ve sebilleri inşa edilmiştir. Osmanlılar zamanında çeşme ve sebillere ulaştırılacak olan su, Roma ve Bizans döneminden kalan dört büyük isale hattına ilave olarak Kırkçeşme Suyu Tesisleri, Halkalı Suları, Üsküdar Suları, Taksim Suyu Tesisleri, Hamidiye Suyu Tesisleri gibi büyük su tesisleri ve isale hatlarıyla sağlanmıştır.

Osmanlılar zamanındaki su tesislerinden Kanuni döneminde İstanbul'un artan su ihtiyacını karşılamak üzere Mimar Sinan'a yaptırılan Kırkçeşme Tesisleri, Belgrad Ormanları ve civarındaki suları toplayıp isale hattıyla şehre su ulaştıran çok sayıda kemer ve bende sahip en büyük tesistir. Kırkçeşme isale hattıyla dört yüzden fazla çeşmeye su ulaştırılmıştır. Halkalı Suları, Halkalı Köyü ve Cebeciköy arasından gelen bağımsız on altı isale hattına sahiptir. Anadolu yakasındaki Üsküdar Suları da çok sayıda suyollarından ve daha küçük isale hatlarından oluşur. Sultan I. Mahmud zamanında 1731-1732'de tamamlanan Taksim Suyu Tesisleri'ne sonraki padişahlar da çeşitli ilaveler yapmıştır. Sultan II. Abdülhamid, şehrin günden güne artan nüfusunun su ihtiyacını karşılamaya destek olarak 1900'de Hamidiye Tesisleri'ni yaptırmış ve tesis 1902'de resmen hizmete girmiştir.

Su tesisleri ve yapılarının bakım ve denetimi, Fatih Sultan Mehmed zamanında kurulan Su Nezareti tarafından yapılmıştır. Su Nezareti, 1836'da Vakıflar Nezareti'ne, 1876'da Şehremaneti'ne ve 1908'de Evkaf Nezareti'ne devredilerek Miyah-ı Vakfıyye Müdüriyeti adını almıştır. 1868'de bir Fransız şirketi olan "Dersaadet Anonim Su Şirketi" (Terkos Şirketi) ve Anadolu yakasının su ihtiyacını karşılamak için 1888'de Üsküdar-Kadıköy Su Şirketi kurulmuştur. 1932'de Terkos Şirketi, 1937'de Üsküdar-Kadıköy Su Şirketi satın alınarak İstanbul Sular İdaresi'ne bağlanmıştır. Son olarak, İstanbul Büyükşehir Belediyesi'ne bağlı bağımsız bütçeli bir kuruluş niteliğinde, 2560 sayılı İSKİ Kanunu ile 1981 yılında İstanbul Su ve Kanalizasyon İdaresi (İSKİ) kurularak büyük bir metropol olan İstanbul'un su ve kanalizasyon sistemi, günümüzdeki işleyişine kavuşmuştur.

Çeşme ve Sebil:

Farsça göz anlamındaki *çeşm* kelimesinden gelen *çeşme* terimi, su akıtılan yapılar demektir. Arapça göz anlamına gelen *ayn* kelimesi de 13. ve 17. yüzyıllarda çeşme yerine kullanılmıştır.

Çeşmelerde, sürekli su akışını sağlayan lülelerin yerini, zaman içinde suyun boşa akmasını engelleyecek musluklar almıştır. Lüle ya da musluğun yer aldığı taş, ayna taşıdır. Bazı örneklerde, lülenin ya da musluğun yanlarında veya üst kısmında su içmek için kullanılan tasların konulduğu tas nişi/maşrapa yuvası da vardır. Cephe tasarımında çeşme nişi, musluğun olduğu bölümü diğer alanlardan ayırır ve çeşme nişini çoğunlukla kesme taş, tuğla da mermer kemer belirler. Hepsinde olmamakla birlikte çeşmelerde kemerle niş şeklinde belirlenen alanda, kitabe, çeşme aynası, lülenin ya da musluğun takılı olduğu ayna taşı ve tas nişi bulunur. Çeşme önlerinde, lüle ya da musluktan akan suyun toplandığı alanlara, tekne, kurna, yalak gibi isimler verilmiştir. Bu bölümlerin iki yanında, oturmaya veya su kaplarını koymaya yarayan taş ya da mermerden yapılan set/seki taşı/tekne seti yer alır. Bazı örneklerde, çeşmenin iki tarafına dinlenme amaçlı nişler de yapılmıştır. Çeşmelerde, suyun depolandığı bölümlere hazne denilir. Hazne üzerinin düz tasarlanıp namazgâh olarak kullanıldığı örnekler vardır. Çeşme ya da sebilin kim tarafından, ne zaman, ne amaçla yapıldığını gösteren kitabeler de ayrı bir öneme sahiptir.

Çeşmeler ve sebiller, inşa edildikleri dönemin kültürünü, beğenisini, mimarlık özelliklerini yansıtırlar. Konumlarına, yapılış amaçlarına ve inşa edildikleri dönemlerin estetiğini yansıtan üslup özelliklerine göre farklı gruplara ayrılırlar.

Konumlarına Göre Çeşmeler:

Menzil Çeşmeleri: Şehirlerarası yollar, kervan yolları ve diğer konaklama yerlerinde yer alan, yolcuların ve hayvanların su ihtiyacını karşılamak üzere, lülelerinden sürekli su akan ve yanlarında hayvanlar için yalak bulunan çeşmelerdir. Genellikle açık arazideki çeşmelere çoban çeşme denilir ve hayvanların su ihtiyacını gidermek için çok sayıda yalakları vardır.

Meydan Çeşmeleri: Şehirlerde, önemli merkezlerde, çarşı ya da iskele meydanlarında yer alan, serbest konumda inşa edilmiş anıtsal çeşmelerdir. Meydan çeşmelerinin bir kısmı, Topkapı Sarayı girişindeki Sultan III. Ahmed Meydan Çeşmesi ve Sebili ile Azapkapı Saliha Sultan Meydan Çeşmesi ve Sebili gibi görkemli örnekler sunan sebil ve çeşme birlikteliğinde *sebilli çeşme* olarak tasarlanmıştır.

Duvar/Cephe Çeşmeleri: Sıbyan mektebi, kütüphane, cami avlusu ya da tekke avlusu, türbe, hazire duvarı gibi önemli yapıların duvarlarında örnekleri görülebilir. Ayrıca, *köşe çeşmeleri* bulunmaktadır ve iki ya da üç cepheli olanlarına *çatal çeşme* ismi verilmiştir. Yapıldıkları yerde, çukurda kalan çeşmelere ise *çukur çeşme* denilmiştir.

Sütun Çeşme: Sütun biçimli çeşmelerdir. 18. yüzyıldan itibaren örnekleri görülen sütun çeşmelerde su haznesi yoktur. Teknolojinin imkânlarından yararlanılarak boru sistemleriyle ince, uzun, yuvarlak ya da dörtgen çeşme gövdesinden bir lüle veya musluk aracılığıyla şebeke suyu öndeki küçük tekne/kurnaya akıtılmıştır.

Namazgâhlı Çeşme: Namazgâh ile çeşmenin birlikte tasarlandığı örneklerdir. Çeşmenin hazne üzeri düz bırakılıp namazgâh olarak kullanılmıştır ya da çeşmenin ön yüzü çeşme, arka yüzü namazgâh taşı işlevi görmüştür.

Oda Çeşmeleri: Saraylarda, köşklerde, konutlarda, oda, sofa, mutfak, hela gibi iç mekanlarda yer alan küçük çeşmelerdir. Bunlar, Topkapı Sarayı'nda olduğu gibi iç mekânlarda, içerideki konuşmaların dışarıdan duyulmasını engellemek gibi ayrı bir işlev de görmüşlerdir.

Şadırvan Çeşmeleri: Bir havuz ortasında, su akıtan lüleleri olan taş direk, sütun veya paye biçiminde örnekleri görülen ve suyun havuzdan kullanıldığı yapılardır. Cami avlularında yer alan ve abdest almak için kullanılan şadırvanlarla karıştırılmamalıdır.

Bunlara ilave olarak, İstanbul'da çok sayıda örneğine rastlanan *musluklu taş tekneler,* taşınabilir düzenlemeleriyle diğer su tesislerinden farklılık gösterir.

Sebil Arapça *yol* anlamına gelir. Önceleri *sebilhane* olarak adlandırılan ve daha sonra kısaca *sebil* adı verilen eserler, genel anlamıyla halka parasız içilecek su dağıtılan hayır yapılarıdır. Mecazi anlamda *Allah yolunda* anlamına gelen *Fisebîlillâh,* Allah rızası için başka hiçbir karşılık beklemeden yapılan hayır anlamı taşır ve sebil, bu amaca hizmet eder.

Sebillerde; bayramlarda, kandillerde, ramazan akşamlarında veya hayır sahiplerinin kendileri için özel saydıkları diğer günlerde, Kerbela'da susuz şehit olan Hz. Hüseyin'in de ruhunu şad ederek soğuk şerbet dağıttırılmıştır. Bazı sebillerde, özel günlerde Göztepe, Kanlıkavak, Küçük Çiftlik, Büyük ve Küçük Çamlıca gibi memba suları ile bal ve şekerden şerbet verilmesi bazı hayrat sahiplerinin vakfiyelerine yazılmıştır.

Sebillerden mutlaka içilebilecek nitelikte su ve diğer meşrubatlar verilirken çeşmelerden akan suyun kalitesi ve soğukluğu yerine göre değişebilir. Sebillerde su, sebilci tarafından özel taslarla sunulur. Kulplarından birer zincirle sebilin madeni şebekelerine, parmaklıklarına ya da iç kısımdan pencereler arasındaki sütunlara bağlanan su tasları üzerinde çeşitli yazılar bulunurdu. Bu tasların ve sebilin temizliği ile düzeninden sebilciler sorumlu olmuştur. Sebilci, yalnızca sebillerde görev yapanlar için kullanılan bir terim değildir. Sokaklarda dolaşarak yine hayır için içme suyu dağıtanlara da sebilci denir. Bunlar, gezici derviş sebilcilerdir ve su dağıtırlarken halk şairlerinden Harabi Baba'nın Kerbela olayını anlatan mersiyesini yüksek sesle okurlardı. Sebilciler, hizmetleri karşılığında vakıf sahiplerinden ya da evkaftan maaş almıştır. Suyu olmayan sebillere, sakalar tarafından su getirilerek içeride bulunan kuyu, mermer su haznesi veya mermer ya da topraktan yapılmış küplere konulmuştur. Sakalar Loncası'na bağlı olan sakalar, 15. yüzyıldan 19. yüzyıla kadar bu loncaya bağlı olarak evlere su taşımışlardır.

Türk mimarlığına özgü yapılar arasında önemli bir yer tutan sebillere, en fazla İstanbul ve Kahire'de (*sebil-küttab*) rastlanmaktadır.

Genellikle kurşun kaplı kubbe ve saçak örtülü olarak dörtgen, daire ya da çokgen planlı tasarlanan sebillerde, yaklaşık bel hizası yükseklikte etek bölümü ve mermer tezgâh yer alır. Tezgâh üzerine oturan sütunlar, kemerlerle birbirine bağlanarak aralarda, dönemin zevkine göre işlenmiş şebekelerin bulunduğu pencere açıklıkları oluşturulmuştur. Şebekeler, dönemin zevkine ve modasına uygun üslup özelliklerini barındıran motif ve kompozisyonlara sahiptir. Klasik üslup, Lale Devri, barok, rokoko, ampir ve diğer geç dönem üslup özellikleri gösteren şebekeler, geometrik ya da bitkisel karakterli motifler, S, C kıvrımları ve bunlardan meydana gelen değişik kompozisyonlara sahiptir.

Konumlarına Göre Sebiller:

Pencere Sebilleri: Bir yapının duvarı yüzünde açılan bir veya birkaç pencereden oluşan sebillerdir. Üstü açık yazlık sebiller, yine bu grup içine girmektedir.

Köşe Sebilleri: Cadde ve sokak köşelerine yapılmış ve yapıldığı köşeden dışarı taşan sebillerdir.

Cephe Sebilleri: Bazı büyük yapıların cephelerini süslemek üzere inşa edilen sebillerdir.

Abidevi / Anıtsal Sebiller: Genellikle şehir meydanlarında, kare veya çokgen planlı olarak, bazen çeşmeyle birlikte inşa edilen sebillerdir.

Çeşme ve sebil gibi su yapıları, sosyal yaşam üzerinde de önemli olmuştur. Evlerde su olmadığı dönemlerde, çeşme başları her zaman küçük toplanma yerleri olduğundan bulundukları yerin sosyal merkezi olmuşlardır. Özellikle meydan çeşmeleri, su içmek ya da evine su götürmek için gelenlerin ayaküstü sohbet ettiği, etrafında satıcıların yer aldığı çok hareketli alanlardır. Çeşme başları, su içen, su dolduran insanlar, satıcılar, bir kenarda oturup sohbet edenler, dinlenenler gibi hep insanların olduğu yaşam dolu mekânlardır.

Davud Paşa Çeşmesi Sadrazam Semiz Ali Paşa Çeşmesi **Kanuni Sultan Süleyman Çeşmesi** Yakub Kethüda Çeşmesi (Çınarlı Çeşme) **Gazanfer Ağa Sebili** Koca Sinan Paşa Sebili **Kuyucu Murad Paşa Sebili** Sultan I. Ahmed (Mustafa Ağa) Sebili **Bayram Paşa Sebili ve Çeşmesi** Köprülü Mehmed Paşa Çeşmesi **Hatice Turhan Valide Sultan (Yeni Cami) Sebili ve Çeşmesi** Merzifonlu Kara Mustafa Paşa Sebili **Amcazade Hüseyin Paşa Sebili** Kaptan İbrahim Paşa Sebili **Rakım Paşa Çeşmesi** Sultan III. Ahmed Kütüphanesi Çeşmesi **Nevşehirli Damad İbrahim Paşa Çeşmesi ve Sebili** Damad İbrahim Paşa (Hibetullah Hanım) Çeşmesi **Saliha Sultan (Yediemirler Tekkesi) Çeşmesi** Sultan III. Ahmed Meydan Çeşmesi ve Sebili **Saliha Sultan Meydan Çeşmesi ve Sebili** Bereketzade Çeşmesi **Tophane (I. Mahmud Han) Meydan Çeşmesi** Hekimoğlu Ali Paşa Meydan Çeşmesi **Hekimoğlu Ali Paşa Sebili** Hacı Beşir Ağa Çeşmesi **Mehmed Emin Ağa Çeşme ve Sebili** Beşir Ağa Çeşmesi **Beşir Ağa Sebili ve Çeşmesi** Seyyid Hasan Paşa Sebili ve Çeşmesi **Nuruosmaniye Sebili** Laleli (III. Mustafa) Sebili **Recai Mehmed Efendi Sebili ve Çeşmesi** Hamidiye (I. Abdülhamid Han) Sebili ve Çeşmeleri **Esma Sultan Meydan Çeşmesi** Canfeda Kadın ve Hazinedar Şevkinihal Usta Çeşmesi **Emirgân (I. Abdülhamid) Meydan Çeşmesi** Koca Yusuf Paşa Sebili ve Çeşmesi **Silahdar Yahya Efendi Çeşmesi** Süleymaniye Meydan Çeşmesi **Mihrişah Valide Sultan Sebili ve Çeşmeleri** Şah Sultan Sebili **Beyhan Sultan Çeşmesi** Mihrişah Valide Sultan Çeşmesi **Sultan II. Mahmud Çeşmesi** Nakşidil Sultan Sebili **Galata Mevlevihanesi (Halet Efendi) Çeşme ve Sebili**

Cevri Usta Çeşme ve Sebili **Sultan II. Mahmud Çeşmesi** Nusretiye (II. Mahmud) Sebili **Sultan II. Mahmud Çeşmesi** Bezmiâlem Valide Sultan Meydan Çeşmesi **Sultan II. Mahmud Türbesi Sebili** Bezmiâlem Valide Sultan (Abdülmecid Han) Çeşmesi **Pertevniyal Valide Sultan Çeşmesi** Abdülaziz Han Çeşmesi **Ramiz Ağa Çeşmesi** Pertevniyal Valide Sultan Çeşme ve Sebili **Olanlar Tekkesi Sebili ve Çeşmesi** Muradiye Sebili ve Çeşmeleri **Bala Tekkesi Çeşme ve Sebili** Hamidiye Çeşmesi **Sultan II. Abdülhamid Han Meydan Çeşmesi** Alman Çeşmesi **Laleli Çeşme** İstinye İskele Çeşmesi **Ayasofya Üçüzlü Çeşme** Cumhuriyet Çeşmesi **El Hac Mehmed Ağa Çeşmesi** Mısırlı Osman Ağa Çeşmesi **Halil Paşa Sebili ve Çeşmesi** Sultan IV. Mehmed Çeşmesi **Yakub Ağa Çeşmesi** Mihrimah Sultan Çeşmesi **Gülnuş Emetullah Valide Sultan Çeşmesi ve Sebili** Ahmediye Sebili ve Çeşmesi **Sultan III. Ahmed Meydan Çeşmesi** Ahmed Ağa (Ayrılık) Çeşmesi **Sadeddin Efendi Çeşme ve Sebili** İshak Ağa Çeşmesi (Onçeşmeler) **Mehmed Bey Çeşmesi** Sineperver Valide Sultan Çeşmesi **Mihrişah Valide Sultan Çeşmesi** Selami Ali Efendi Çeşmesi **Sultan III. Selim Çeşmesi** Küçüksu (Mihrişah Valide Sultan) Meydan Çeşmesi **Sultan II. Mahmud Meydan Çeşmesi** Hafız İsa Ağa Çeşmesi **Kandilli İskele (Sultan II. Mahmud) Çeşmesi** Berberbaşı Ali Ağa Çeşmesi **Sultan II. Mahmud Çeşmesi** Sultan II. Mahmud Çeşmesi (Kuru Çeşme) **Mustafa Paşa Çeşmesi** Baba Oğul Çeşmesi **Kavasbaşı Ahmed Ağa (Lahana) Çeşmesi** Şeyhülislam Arif Hikmet Bey Sebili ve Çeşmesi **Yusuf Ziya Paşa Çeşmesi** Hüseyin Avni Paşa (Paşalimanı) Çeşmesi **Bulgurlu Köyü Çeşmesi** Kısıklı Çeşmesi

AVRUPA YAKASI

Davud Paşa Çeşmesi genel görünüş,
2012. Fotoğraf: Gül Sarıdikmen

DAVUD PAŞA ÇEŞMESİ

H.890/M.1485

~

İstanbul'daki en
eski tarihli çeşme
örneği sayılan klasik
üsluptaki çeşmenin
banisi, Fatih
Sultan Mehmed'in
veziriazamlarından
Davud Paşa'dır.

Davud Paşa Çeşmesi'nin kitabesi

Kocamuśtafapaşa Davutpaşa Mahallesi'nde Davud Paşa Camii avlu kapısı dışında, duvara bitişik tek cepheli çeşmedir. İstanbul'daki en eski tarihli ve klasik üsluptaki çeşme, kesme küfeki taşından yapılmıştır.

Basık sivri kemerli nişteki dikdörtgen çerçeve içinde h. 890 tarihini veren kitabesi vardır. Banisi Davud Paşa 1483'te, Fatih Sultan Mehmed'in veziriazamı görevine getirilmiş, 1497'de emekli olup 1499'da ölmüştür (Tanışık 1943: I. 2; Egemen 1993: 245). Kitabedeki merhum tabirinden anlaşılacağı üzere, kitabe paşanın ölümünden sonra konulmuş olmalıdır. Kitabenin alt kısmında, sonradan konulduğu anlaşılan mermerden kabartma deniz kabuğu, akantus yapraklı S ve C kıvrımlı, rokoko süslemeli ayna taşı yer alır. Önünde, mermer teknesi ve setleri vardır.

Kitabesi:

Sâhibü'l hayrât merhum Davud Paşa sene 890

SADRAZAM SEMİZ ALİ PAŞA ÇEŞMESİ

H.966/M.1558

~

Eyüp Haydar Baba Caddesi'nde Cezeri Kasım Paşa Camii'nin karşısında, köşede yer alır. Sadrazam Semiz Ali Paşa tarafından h. 966/m. 1558'de yaptırılmıştır (Tanışık 1943: I. 10-12; Haskan 1996: 404-405). Şair Bülbüli'nin hazırladığı h. 1013/m. 1604 tarihini veren kitabesinde, çeşmenin h.966/m.1558'de yaptırıldığı yazılıdır. 1994 yılında Eyüp Belediyesi tarafından reştore ettirilmiştir.

Sadrazam Semiz Ali Paşa tarafından h. 966/m.1558'de yaptırılan çeşme, klasik dönemin sadeliğini yansıtan güzel bir örnektir.

Klasik üslupta iki cepheli bir köşe çeşmesidir. Klasik dönemin sadeliğini yansıtan güzel bir örnektir. Kitabenin olduğu ön cephe diğer cepheden daha yüksektir. Çatısı ve tüm yüzeyi kesme taştan yapılan yapıda, cepheler dikdörtgen olarak belirir ve üstten palmet bordürlü kornişle taçlandırılır. Silmelerle çevrelenen dikdörtgen cephede, kilit taşına kabartma rozet işlenmiş olan sivri kemerli niş vardır. Sivri kemerli niş içinde dört satırlık kitabe yer alır. Alt kısmında silmeyle geçilen bölümde, iki yanında kemerli birer niş halinde tas yuvasına sahiptir. Dikdörtgen mermer ayna taşına, Bursa kemeri görüntüsü veren iki köşeliğe kabartma birer çiçek motifi işlenmiştir ve teknesi çukurda kalır. Daha alçak olan yan cephede de aynı düzenleme görülür.

Sadrazam Semiz Ali Paşa Çeşmesi'nin kitabesi

Kitabenin tarih beyiti:

Bin on üçde bilüb aslını didim Bülbülî târih
Döküb mali bu zibâ çeşmeyi yapdın Ali Paşa 966

Sadrazam Semiz Ali Paşa Çeşmesi genel görünüş, 2012. Fotoğraf: Gül Sarıdikmen

KANUNİ SULTAN SÜLEYMAN ÇEŞMESİ

H.974/M.1566

~

Kanuni Sultan Süleyman Çeşmesi genel görünüş, 2012. Fotoğraf: Gül Sarıdikmen

Mimar Sinan eseri olan Kanuni Sultan Süleyman Çeşmesi, son onarımlar sonrası işlevini sürdürmektedir.

Kanuni Sultan Süleyman Çeşmesi'nin kitabesi

Büyükçekmece Dizdariye Mahallesi'nde, Kültür Park'ta yer alır. H.974/h.1566'da Kanuni Sultan Süleyman tarafından tarihi köprü ve kervansarayla birlikte Mimar Sinan'a yaptırtılmıştır. Üç cepheli meydan çeşmesidir.

Klasik üsluptaki üç cepheli çeşme, kesme taştan yapılmıştır. Orta bölüm, iki yan cepheden biraz daha yüksek ve geniştir. Yan cepheler, orta bölüme göre açılı olarak geride kalır. Üst kısımlarında, beşik tonoza benzer üst örtüsü vardır ve alt kısmından itibaren üç cephede de devam eden yalın bir korniş yer alır. Üç cephe de benzer bir düzenlemeye sahiptir, silmelerle çerçevelenen basık sivri kemerli çeşme nişleri vardır ve basık sivri kemerlerin kilit taşına birer rozet işlenmiştir. Nişlerin içinde, mermer çeşme aynaları ile önlerinde tekneleri ve setleri bulunur. Ortadaki geniş cephede kemerin alt kısmında, kilit taşının alt hizasında kabartma bir rozet ile dikörtgen çerçeve içinde iki satırlık kitabe yer alır. İkili kartuşlar halindeki kitabe, iki yandan ve üstten dalgalı kaş kemer motifiyle süslenmiştir. Alt kısmında, dikdörtgen çerçeve içinde kabartma dalgalı kaş kemer motifli mermer ayna taşı ve iki tarafında, daha küçük dikdörtgen çerçeve içinde kemer kabartmalı mermer pano vardır. Çeşmenin diğer iki cephesinde yer alan mermer ayna taşları tek parçadan oluşur ve dikörtgen çerçeve içinde dalgalı kaş kemer kabartmalıdır.

Son onarımlarla iyi durumda olan çeşme, işlevini sürdürmektedir.

Kitabenin tarih beyiti:

Dedi târîhin anın ehl-i tarih
Yine aktı cihâna âb-ı Kevser sene 974

4
YAKUB KETHÜDA ÇEŞMESİ (ÇINARLI ÇEŞME)
H.993/M.1585

~

Edirnekapı Kuru Çınar Sokağı'nın sonunda yer alır. Önündeki çınardan dolayı, Çınarlı Çeşme de denilir. Mesih Paşa'nın Kethüdası Yakub Ağa tarafından h.993/m.1585'te yaptırılmıştır (Tanışık 1943: I. 32). Yakub Ağa, aynı tarihte Edirnekapı Sofalı Çeşme Sokağı'nda klasik üslupta sivri kemerli bir çeşme daha yaptırmıştır. Tek yüzlü duvar çeşmedir.

Yakub Kethüda Çeşmesi'nin kitabesi
▼

Kesme taştan yapılmış olan çeşme klasik üsluptadır ve üst bölümü bir sıra palmet bordürlü kornişle taçlandırılmıştır. Köşe başındaki ahşap bir evin alt katında yer alır ve çeşme üzerinde çıkma yapan ahşap ev, aynı zamanda çeşmeye saçak vazifesi de görür.

Önündeki çınardan dolayı Çınarlı Çeşme olarak da bilinen yapı, Mesih Paşa'nın Kethüdası, Yakub Ağa tarafından yaptırılmıştır.

Silmelerle çevrelenen çeşme cephesinde yer alan sivri kemerli nişte, kemerin iç çizgisi dilimli olarak işlenmiştir. Kemerin kilit taşında ve iki yanda köşelikte birer kabara ve üzerinde iki satırlık sülüs hatlı kitabe kuşağı yer alır. Üst kısmında, kaş kemerli birer tas yuvası olan çeşmenin dörtgen mermer ayna taşında, yan yana içi boş iki kartuş süslemesi altında musluk ile önünde üst kısmı kırık teknesi vardır.

İstanbul Arkeoloji Müzeleri Fotoğraf Arşivi'ndeki 5/136 nolu, 1936 tarihli fotoğrafta ve ressam Ahmet Uzelli'nin iki resminde, üzerindeki ahşap evin çeşmeye saçak oluşturduğu görülür (Sarıdikmen 2007: 631-633). Günümüzde, çeşmeyle bütünleşen ahşap ev yanmış ve harabeye dönmüştür. Çeşmenin tüm yüzeyi, yeşil yağlıboyayla boyanmıştır.

▲

Yakub Kethüda Çeşmesi genel görünüş, 2006.
Fotoğraf: Gül Sarıdikmen

Kitabenin tarih beyiti:

Kıldı binâsın itmâm hayr ile kodı bir nâm
Târih didi Sâi ey âb-ı pâk-i can bahş 993

GAZANFER AĞA SEBİLİ

H.1000/M.1591

~

16. yüzyıl sonlarında, III. Mehmed'in kapıağası ve hasodabaşısı olan Gazanfer Ağa tarafından Mimar Davud Ağa'nın mimarbaşılığı zamanında yaptırılan külliye içerisinde yer alan sebil, uzun süre harabe halinde kaldıktan sonra yapılan onarımlar sonucunda günümüzde iyi durumdadır.

Atatürk Bulvarı ile Kovacılar Caddesi'nin birleştiği köşede yer alır. 16. yüzyıl sonlarında, III. Mehmed'in kapıağası ve hasodabaşısı olan Gazanfer Ağa tarafından Mimar Davud Ağa'nın mimarbaşılığı zamanında yaptırılan Gazanfer Ağa Külliyesi, medrese, türbe, küçük hazire ve sebilden oluşur. Kitabesi yoktur, h.1000/m.1591'de yaptırıldığı düşünülür (Şerifoğlu 1995: 94). Külliye, 1943-1944 yıllarında restore edilerek 1945'te Belediye Müzesi ve 1989'dan itibaren Karikatür ve Mizah Müzesi olarak hizmet vermiştir. 1930'lu yıllarda uzun süre harabe halinde kalmış olan sebil, yapılan onarımlar sonucunda günümüzde iyi durumdadır.

Bir köşe sebili olan yapı, klasik üsluptadır. Sekizgen planlı yapının üzeri kubbeyle örtülüdür. Mermer sebilin bağlı bulunduğu külliye duvarından beş kenarı dışa taşkındır.

Klasik dönemin sadeliğindeki sebilin çokgen etek kısmından silmelerle geçilen tezgâha oturan tunç bilezikli mukarnaslı başlıklı altı mermer sütunun oluşturduğu beş pencere açıklığı vardır. Pencere açıklıkları, basık kemerlidir. Sütunlar, iki renkli mermerden sivri kemerlerle birbirine bağlanır ve sivri kemerlerin içi, geometrik motifli oyma mermer şebekelerle, basık kemerli pencere açıklıkları ise bronz döküm şebekelerle örtülüdür. Döküm şebekeler, iç içe geçen altıgenlerden oluşur ve yıldız çiçek görünümlü altı kollu yıldızlar ve altıgenlerden oluşan geometrik bir kompozisyona sahiptir. Altta, kompozisyonun devamı olarak kaş kemerli beşer su verme aralığı oluşturulmuştur. Sivri kemerler üzerinde devam eden silme ve kornişle kurşun kaplı geniş saçağı olan kubbeli üst örtüye geçilir.

Gazanfer Ağa Külliyesi ve Gazanfer Ağa Sebili genel görünüş, 2006. Fotoğraf: Gül Sarıdikmen

KOCA SİNAN PAŞA SEBİLİ

H.1002/M.1593

~

Çarşıkapı'da, Koca Sinan Paşa Külliyesi'nin köşesinde, türbenin önünde yer alır. Koca Sinan Paşa tarafından h.1002/m.1593'te Hassamimarı Davud Ağa'ya yaptırılmıştır. Klasik üslupta, sekizgen planlı köşe sebilidir. Kurşun kaplı geniş saçaklı konik çatıyla örtülüdür. Uzun yıllar büfe olarak kullanılan yapı, günümüzde kitap satış yeri olarak kullanılmaktadır.

Klasik üsluptaki mermer sebil, beş pencereyle dışa açılır. Sebilin etek kısmı, günümüzde kısmen yol seviyesinin altında kalır. Süslemesiz çokgen etek kısmından silmelerle geçilen tezgâhta mukarnaslı başlıklı mermer sütunlar, sivri kemerlerle birbirine bağlanarak arada beş pencere açıklığı oluşturur. Dikdörtgen pencere açıklıkları, sekizgenler ve dörtgenlerden oluşan geometrik kompozisyona sahip madeni şebekelerle örtülüdür. Kompozisyonun devamı olarak altta, Bursa kemeri biçiminde beşer su verme aralığına sahiptir. Pencere üstlerinde sütun başlıkları hizasında kitabe kuşakları sıralanır. Üstteki sivri kemerlerin iç kısmı, geometrik oyma mermer şebekelerle örtülüdür. Kemerlerin kilit taşında kabartma birer rozet vardır. Klasik üslubun sadeliğindeki yapıda, oymalı kornişle geniş ahşap saçağa geçilir. Kapısı üzerinde "Ve sekâhüm rabbühüm şerâben tahûrâ" ayeti yazılıdır.

Koca Sinan Paşa Sebili mukarnas başlıklı sütunlar arasında kitabe kuşağı, pencere açıklığı kemerler ve şebekeler

▼

Klasik üsluptaki Koca Sinan Paşa Sebili günümüzde kitap satış yeri olarak kullanılmaktadır.

▲

Koca Sinan Paşa Sebili'nin 19. yüzyıl sonu-20. yüzyıl başındaki genel görünüşü ve etrafındaki gündelik yaşamdan bir kesit. Ömer Faruk Şerifoğlu Arşivi

◄

Koca Sinan Paşa Sebili'nin genel görünüşü, 2012. Fotoğraf: Gül Sarıdikmen

Kitabenin tarih beyiti:

Görüp tamamını ol dem dedi târîhini Hâtif
Sinân Paşa sebili eyledi Mevlâ için cârî 1002

KUYUCU MURAD PAŞA SEBİLİ

H.1015/M.1606

~

Vezneciler'de, Kuyucu Murad Paşa Külliyesi'nin güneydoğusunda, türbenin ön tarafındadır. Sadrazam Kuyucu Murad Paşa tarafından h.1015/m.1606'da yaptırılmıştır. Mehmed Ağa'nın mimarbaşılığı zamanında yapılmış olması ihtimali vardır (Kumbaracılar 1938: 15), Oktay Aslanapa ve Ernst Diez ise sebili Mimar Davud Ağa'nın eseri olarak gösterir (Aslanapa-Diez 1955: 197). Kitabesi yoktur. Sebil; türbe, medrese, sıbyan mektebi ve dükkânlardan oluşan Kuyucu Murad Paşa Külliyesi'ne dahildir.

Kuyucu Murad Paşa Külliyesi'ne dahil olan sebile, kurşun kaplı üst örtü ve pencere açıklıklarını örten bronz şebekeler sonradan yerleştirilmiştir.

▶

Kuyucu Murad Paşa Sebili, genel görünüş, 2013. Fotoğraf: Gül Sarıdikmen

Klasik üsluptaki sebil, köşe sebilleri grubuna girer. Çokgen planlı olan sebil beş pencerelidir ve üzeri kurşun kaplı ahşap saçaklı, konik bir çatıyla örtülüdür. Sebilin içinde türbeye açılan dikdörtgen mermer söveli ve demir parmaklıklı bir pencere ve girişin karşısında mermer bir su haznesi vardır. Sebilin içten üst örtüye geçiş sistemi, sekizgen gövde üzerinden tromplarla geçilen yarım kubbedir. Aynı saçağı paylaşan sebil ve türbenin ön cephesinde yer alan sütun ve kemerler ile süslemeleri aynıdır. Sebilin saçak altında yer alan bir sıra mukarnas dizisi, türbede de saçak altında kesintisiz olarak devam eder. Kumbaracılar'ın (1938: 14, res. no:19) yayınladığı 1930'ların ortalarına ait fotoğrafta, oldukça harap durumdaki sebilin, üst örtü ve pencere şebekelerinin bulunmadığı, yalnızca etek kısmı, mermer basık kemerleri ve sütunları olduğu görülür. Kurşun kaplı üst örtü ve pencere açıklıklarını örten bronz şebekeler yapıya sonradan yerleştirilmiştir.

▲

Kuyucu Murad Paşa Sebili
mukarnas başlıklı sütunlar, pencere
açıklığı kemerler ve şebekeler

Sebilin mermer kaplı çokgen etek bölümü süslemesizdir ve üzerinde tunç bilezikli mukarnas başlıklı altı mermer sütun arasında basık kemerli beş pencere açıklığı oluşturulmuştur. Sebilin basık kemerli pencere açıklıklarını, bronz döküm şebekeler örter. Şebeke kompozisyonun esası, kaydırılmış eksende sıralanan, sırt sırta veren yarım yuvarlaklardan oluşur. Pencere açıklıkları sağ ve sol tarafta diğerlerine oranla daha dar olduğundan, üç geniş cephede kaş kemer biçiminde yedişer, dar olanlarda ise dörder tane su verme aralığına sahiptir. Pencere üstlerinde mukarnas başlıklı sütunlar sivri kemerlerle birleştirilir, alınlıklarında altı kollu yıldızlar ve altıgenlerden oluşan geometrik süsleme kompozisyonuna sahip oyma mermer şebekeler vardır. Türbeye bakan dar pencerenin kemeri dışında, kemer köşeliklerine birer rozet işlenmiştir. Sivri kemerlerin üst kısmında yer alan ve sebil cephesini dolaşan düz bir kuşağın ardından mukarnas dizisiyle üst örtüye geçilir.

Sebil, son olarak 2012'de restore edilmiştir.

SULTAN I. AHMED (MUSTAFA AĞA) SEBİLİ

H.1022/M.1613

~

Eyüb Sultan Cami'nin iç avlusunda, Eyüb Sultan Türbesi'nin giriş kapısının sağ tarafında yer alır. Kızlarağası Mustafa Ağa tarafından h.1022/m.1613'te yaptırılmıştır. Sebilin içinde büyük bir çeşme ile Mustafa Ağa'nın mezarı bulunmaktadır. H.1033/m.1623 yılında vefat eden Şeyhülharem Mustafa Ağa, iki kez Kızlarağası olmuştur. Bu sebeple sebile Mustafa Ağa Sebili de denilir (Kumbaracılar 1938: 20-21; Şerifoğlu 1995: 126; Haskan 1996: 425).

Eyüb Sultan Türbesi'nin giriş kapısı yanında Sultan I. Ahmed (Mustafa Ağa) Sebili genel görünüş, 2006. Fotoğraf: Gül Sarıdikmen

▼

Eyüb Sultan Türbesi'ne bitişik olarak yapılan altıgen planda ve üç pencereyle avluya açılan sebil, klasik üsluptadır. Cephe sebilleri grubuna giren sebilin, türbenin geniş saçağı altında kendine ait kurşun kaplı ikinci bir saçağı daha vardır.

Klasik dönem özellikleri gösteren mermer sebilin etek kısmı üzerinde yükselen tunç bilezikli, mukarnas başlıklı dört mermer sütun ile düşey dikdörtgen profilli üç pencere açıklığı oluşturulmuştur. Sütun başlıkları hizasında mermer kitabe ve üzerinde yarı sivri hafifletme kemerleri bulunur. Hafifletme kemerlerinin içi oymalı mermer şebekelidir. Kemerlerin kilit noktalarına birer rozet işlenmiş ve köşelik, klasik üslupta hançeri kıvrık yapraklar, laleler, karanfiller ve diğer tezyini çiçeklerle doldurulmuştur. Üstte devam eden kabartma süslemeli kornişle saçağa geçilir.

Pencerelerde, açıklıkların dikdörtgen formuna uygun dikdörtgen çerçeveye sahip döküm tekniğiyle yapılmış pirinç şebekeler vardır. Şebeke kompozisyonu, temel olarak iç içe geçen dairelerden oluşur ve dairelerin kesişmesiyle içbükey üçgenler, altıgenler ile altı kollu stilize çiçekler/altı kollu yıldızlar meydana gelir. Her pencere şebekesinde, Bursa kemerli üçer su verme açıklığı vardır. Günümüzde sebilin su verme aralıklarının olduğu bölüme, türbeye gelen ziyaretçilerin su içebilmesi için birer musluk yerleştirilmiştir.

Kitabenin tarih beyiti:

Eyledi Sultân Ahmed şükr-i na'may-ı Celil
Bin ikramı yek-sinde yapdırub bir nev sebil 1022

▲

Sultan I. Ahmed (Mustafa Ağa) Sebili mukarnas başlıklı sütunlar arasında kitabe kuşağı, pencere açıklığı, kemerler, şebekeler ve kabartma süslemeler

Kızlarağası Mustafa Ağa tarafından h.1022/m.1613'te yaptırılan sebilin su verme aralıklarının olduğu bölüme, türbeye gelen ziyaretçilerin su içebilmesi için günümüzde birer musluk yerleştirilmiştir.

BAYRAM PAŞA SEBİLİ VE ÇEŞMESİ

H.1044/M.1634

~

Bayram Paşa Sebili'nin yanında devam eden duvarda Bayram Paşa Çeşmesi, 2013. Fotoğraf: Gül Sarıdikmen

Haseki, Keçi Hatun Mahallesi'nde, Bayram Paşa Türbesi'nin önünde yer alır. H.1044/m.1634'te Sadrazam Bayram Paşa tarafından Mimar Kasım'ın mimarbaşılığı zamanında yaptırılmıştır. Sebil ve çeşme; medrese, sıbyan mektebi, tekke, türbe, hazire ve dükkânlardan meydana gelen Bayram Paşa Külliyesi'ne dahildir. Türbeyle bağlantılı olarak türbenin kuzeydoğu kenarındaki eyvanına bitişen sebil, çokgen planlıdır ve beş kenarı dışa taşmaktadır. Köşe sebilleri grubuna giren yapı klasik üsluptadır. Üzeri kurşun kaplı kubbeyle örtülüdür. Uzun yıllar harabe olarak kalan sebil, 1995 yılında restore edilmiştir. Sebilin yan duvardaki kapısı yanında Bayram Paşa Çeşmesi yer alır.

Klasik üsluptaki sebilin mermer etek kısmı, silmeler dışında herhangi bir süslemeye sahip değildir. Tezgâha oturan tunç bilezikli baklavalı başlıklı altı mermer sütunun oluşturduğu beş pencere açıklığı vardır. Pencere açıklıklarının kemerleri, basık kemerin dilimli halidir. Açıklıkları, pencere kemerinin şekline uygun olarak üstte dilimli kemerli bir çerçeveye sahip döküm şebekeler örter. Şebekeler, iç içe geçen ve birbiriyle kesişen onikigenlerden oluşan geometrik kompozisyona sahiptir. Her bir onikigenin merkezinde, altı kollu yıldız ve bu yıldızları bağlayan altıgenler ve diğer geometrik şekiller mevcuttur. Klasik dönemdeki geometrik süslemenin geçmelerle oluşan zengin bir süsleme çeşidini ortaya koyar. Şebekenin alt bölümünde çubuklarla beşe bölünen su verme aralıkları, kaş kemerli olarak düzenlenmiştir.

Pencere açıklıklarını belirleyen baklavalı başlığa sahip sütunlar, pencere üstlerinde sivri kemerlerle birbirine bağlanır ve kemerlerin kilit noktalarına birer rozet işlenmiştir. Kemer alınlıklarında, alternatif olarak geometrik geçmeli altı kollu yıldızlar ve rumilerden meydana gelen kompozisyonlara sahip oyma mermer şebekeler yer alır. Kemer köşelikleri, kabartma rumi motifleriyle bezelidir ve üst kısmında tek satırlık kartuşlar halinde kitabe ile sebili çepeçevre dolaşan silme ve mukarnaslı bordürle üst örtüye geçilir. Kurşun kaplı kubbe örtülü yapının geniş saçağı, günümüze ulaşmamıştır.

Sebil kitabesinin tarih beyiti:

Bir dua ile dedi târîhini
Teşnegân-ı cihâna oldı sebil 1044

*Bayram Paşa Türbesi önünde Bayram
Paşa Sebili ve yan duvarda Bayram
Paşa Çeşmesi'nden genel görünüş,
2006. Fotoğraf: Gül Sarıdikmen*

Sebilin sağ tarafında devam eden külliyenin çevre
duvarındaki Bayram Paşa Çeşmesi, klasik üslupta bir duvar
çeşmesidir. Kitabesi yoktur. Kesme taş duvar yüzeyinden sil-
melerle belirlenen dikdörtgen cephesinde, sivri kemerli nişe
sahiptir. Ayna taşı mermerdir ve dikdörtgen içinde kaş kemer,
rozet ve bitkisel motifli kabartmalar vardır.
Önündeki teknesi ile çeşmenin üzerini örten
iki eliböğründe ile taşınan geniş sa-
çak günümüze ulaşmamıştır.

KÖPRÜLÜ MEHMED PAŞA ÇEŞMESİ

H.1072/M.1661

~

Köprülü Mehmed Paşa Çeşmesi genel görünüş, 2012. Fotoğraf: Gül Sarıdikmen ▼

Beyazıt'ta, Köprülü Mehmed Paşa Medresesi duvarındadır. Sadrazam Köprülü Mehmed Paşa tarafından h.1072/m.1661'de yaptırılmıştır. Klasik üslupta, mermer duvar çeşmesidir.

Klasik üslupta, mermer duvar çeşmesi Sadrazam Köprülü Mehmed Paşa tarafından h.1072/m.1661'de yaptırılmıştır.

Köprülü Mehmed Paşa Çeşmesi'nin kitabesi ▲

Dikdörtgen çeşme cephesinde, iki uçtaki pahlı köşelerde ince uzun burma gövdeli zarif birer sütun vardır. Üstte, korniş altındaki kuşağa üç rozet işlenmiştir. İnce silmelerle çerçevelenen dikdörtgen alanda, basık sivri kemerli çeşme nişi ve üzerinde tek satırlık kitabe yer alır. Sivri kemerin kilit taşında bir rozet, köşelikte ise kıvrık dallar ve simetrik birer rozet kabartması görülür. Kemerin iç kısmı girift kıvrım dallarla süslüdür. Dikdörtgen çerçeveyle belirlenen ayna taşına, dalgalı kaş kemer motifi ve bir rozet işlenmiştir. Önünde mermer teknesi ve yanlarda setleri vardır.

Kitabe:

Sâhibü'l-hayrât sadr-ı esbak merhum Köprülü Mehmed Paşa

HATİCE TURHAN VALİDE SULTAN
(YENİ CAMİ) SEBİLİ VE ÇEŞMESİ

H.1074/M.1663

~

Hatice Turhan Valide Sultan (Yeni Camii) Sebili görünüş, 19. yüzyıl sonu. Abdullah Frères, Sultan II. Abdülhamid Yıldız Fotoğraf Arşivi

Eminönü Bahçekapı'da, Yeni Camii yakınında, Şeyhülislam ve Bankacılar sokaklarının birleştiği köşededir. Çeşme ve sebil, Yeni Camii Külliyesi'ne dahildir. Külliyede; cami, darülkurra, sıbyan mektebi, hünkâr kasrı ve türbe de vardır. Hatice Turhan Valide Sultan tarafından h.1074/m.1663'te yaptırılan sebil 1902'de yanındaki mağazada çıkan yangında yanmış ve 1907'de Asar-ı Atika Müzeleri Nezareti ile Evkaf Nezareti tarafından eski mimarisine uygun olarak restore edilmiştir (Kumbaracılar 1938: 27; Egemen 1993: 368; Şerifoğlu 1995: 44). Günümüzde iyi durumda olan sebil, uzun yıllar Vakıf menba suları satış yeri olarak kullanılmıştır.

Çeşme ile birlikte geniş saçaklı kurşun kaplı çatı altında yer alan sebil, klasik dönemin anıtsal çeşme-sebil örneklerindendir. Çeşme, sebil, su haznesi ve iç avludan oluşan bir topluluktur. Çeşme ve sebili örten üzeri kurşunla kaplı oldukça geniş ahşap saçak, alttan demir çubuklarla desteklenir. Çeşme-sebil ikilisindeki bütün süsleme çeşme ve sebilde toplanmıştır, diğer yüzeyler düz mermer panolarla kaplıdır.

> *1902'de yanındaki mağazada çıkan yangında yanan ve 1907'de Asar-ı Atika Müzeleri Nezareti ile Evkaf Nezareti tarafından eski mimarisine uygun olarak restore edilen sebil uzun yıllar Vakıf menba suları satış yeri olarak kullanılmıştır.*

Duvara bitişik olan çeşme, klasik üsluptadır. Saçak altına kadar devam eden dikdörtgen cephede, pahlı iki uçta gövdeleri burmalı ince birer sütun vardır. Silmelerle çerçevelenen dörtgen yüzeyde, üstte dikdörtgen kitabe panosunda üçer sıra on iki kartuş içinde hattat Sami Efendi'nin hattıyla celi kitabe yer alır. Çeşmenin sivri kemeri, sebildeki sivri kemerlerle aynı biçimdedir ve köşelik kısmına bitkisel motifler ile birer rozet kabartma olarak işlenmiştir. Sivri kemerli niş içinde de kabartma bitkisel süslemeler vardır. Dikdörtgenle çevrelenen ayna taşı, kemer, rozet ve bitkisel motiflerle süslüdür. Önünde tekne ve setleri bulunur.

Hatice Turhan Valide Sultan (Yeni Cami) Sebili ve Çeşmesi, genel görünüş, 2013. Fotoğraf: Gül Sarıdikmen

Cephe sebilleri grubuna giren sebil, çokgen planlıdır ve üç cephesi dışa taşar. Süslemesiz mermer etek kısmı üzerinde, tezgâha oturan tunç bilezikli ve mukarnaslı başlığa sahip dört mermer sütun arasında, basık kemerli üç pencere açıklığı vardır. Sütunlar, basık sivri kemerlerle birbirine bağlanır ve kemerlerin içi, rumi motifli oyma mermer şebekelidir. Kemer köşelikleri, kıvrık dallar biçiminde rumi motifleriyle bezelidir. Üzerindeki kuşakta, bitkisel motifli birer madalyon vardır ve dört köşesine birer rozet işlenmiştir. Üstte, bir sıra mukarnas ve palmet dizisi sebil ve çeşmeyi dolaşır. Sebilin kitabesi, çeşmenin üst kısmında yer alır. 1902 yangınında harap olan bu kitabeyi, 1907 yılında Sami Efendi yeniden yazmıştır (Derman 1986: 15).

Sebilin basık kemerli pencere açıklıklarında, klasik üslupta geometrik kompozisyonlu döküm demir şebekeler vardır. Şebekelerin kompozisyonu, iç içe geçen dairelerin kesişmesiyle oluşur. Şebekeler, kaş kemerli yedişer su verme aralığına sahiptir. Sebilin içi çinilerle kaplıdır ve burada mermer tezgâh ile bir çeşme yer alır.

Kitabenin tarih beyiti:

Ânın itmâmın görüp târih içün
Dedi hâtif: Kâne hayren fî sebîl 1074

12

MERZİFONLU KARA MUSTAFA PAŞA SEBİLİ

H.1102/M.1690

~

Çarşıkapı'da, Divanyolu Caddesi üzerindeki Merzifonlu Kara Mustafa Paşa Külliyesi'nin kuzeydoğu köşesindedir. Sadrazam Merzifonlu Kara Mustafa Paşa, 1681'de kendi adını taşıyan bir külliye inşa ettirmeye başlamış, ancak II. Viyana kuşatmasında başarısız olunca idam edilmiş ve külliye yarım kalmıştır. Külliyeye bağlı dershane-mescit kapısı üzerindeki kitabeden anlaşıldığına göre külliyeyi oğlu Ali Bey h.1102/m.1690-1691'de Mimar Hamdi'ye tamamlatmıştır. Sebil, darülhadis medresesi, dershane-mescit, sıbyan mektebi, hazire, su deposu ve dükkânlardan oluşan Merzifonlu Kara Mustafa Paşa Külliyesi'ne dahildir. Hazireye bitişik olarak tam köşede yer alır.

Sadrazam Merzifonlu Kara Mustafa Paşa'nın idamıyla yarım kalan ve oğlu tarafından tamamlatılan külliyenin bölümlerinden biri olan sebil, günümüzde dükkân olarak kullanılmaktadır.

Klasik üsluptaki sebil, köşe sebilleri grubuna girer. Beş cepheli sebilin üzerini sekizgen kasnaklı, kurşun kaplı bir kubbe örter. Hazire ile bir bütünmüş gibi algılanan sebil ve hazire cephesi mermerdir. 1953-1954 yıllarında Divanyolu Caddesi'nin genişletilmesi sırasında külliyeye bağlı dükkânlar yıktırılmış, sebil ve hazire yan sokağa nakledilmiştir. Yine bu sırada hazire, sebilin sol tarafından sağ tarafına alınmıştır (Ünsal 1969: 37-38). Sebil, günümüzde dükkân olarak kullanılmaktadır. Kitabesi yoktur. Sebilin etek kısmının büyük bölümü bugün yol seviyesinin altındadır. Beş köşeli etek kısmı üzerindeki tezgâhta yükselen tunç bilezikli ve mukarnaslı başlığa sahip altı mermer sütunla beş pencere açıklığı oluşturulmuştur. Pencere açıklıkları basık kemerlidir. Mukarnas başlıklı sütunlar, sivri kemerlerle birbirlerine bağlanır ve kemerlerin içi bugün camla kapatılmıştır. Bayrampaşa Sebili'nde de, Kuyucu Murad Paşa Sebili ve Yeni Cami Sebili'nde olduğu gibi bu alanlarda oymalı bitkisel ya da geometrik motifli mermer şebekeler veya mermer panolar olması gerekirdi (Sarıdikmen 2001: 163). Sebil cephesinde, mukarnas sütun başlıkları ve bronz pencere şebekeleri dışında herhangi bir süsleme yoktur.

Basık kemerli pencere açıklıklarını döküm tekniğiyle yapılmış bronz şebekeler örter. Şebekelerin geometrik kompozisyonunun esasını altıgenler oluşturur. Beyazıt'taki Kaptan İbrahim Paşa Sebili'nin pencere şebekelerinde olduğu gibi altıgenler, düşey ve diyagonal çubuklarla kesilir ve alt kısımlarında kaş kemerli altışar su verme aralığı vardır.

AMCAZADE HÜSEYİN PAŞA SEBİLİ

H.1109/M.1697

~

Saraçhanebaşı Sofular Mahallesi'nde, Eski Saraç-hane Sokağı'ndaki sebil; mescit, medrese, kütüphane, sıbyan mektebi, şadırvan, açık türbe, hazire, çeşme ve dükkânlardan meydana gelen Amcazade Hüseyin Paşa Külliyesi'nin ön cephesinde, cümle kapısının solundaki iki hazire arasında yer alır. Cephe sebilleri grubuna girer.

Sadrazam Amcazade Hüseyin Paşa tarafından h.1109/m.1697'de yaptırılmıştır. Kitabesi yoktur. Külliyenin mimarı İbrahim Ağa'nın mimarbaşılığı zamanında inşa edilmiştir. 1718 ve 1782 yangınları ile 1755 depreminden büyük hasar gören külliye ve sebil, Hüseyin Paşa'nın kızı Rahime Hanım tarafından tamir ettirilmiştir. 1896 yılındaki depremde yine hasar görerek tamir edilen sebil, uzun yıllar boş ve bakımsız kaldıktan sonra, 1957-1958 ve 1966 yıllarında Vakıflar Genel Müdürlüğü tarafından restore edilerek bugünkü görünümüne kavuşturulmuştur (Özdeniz 1995: 284).

▲

Amcazade Hüseyin Paşa Sebili genel görünüş, 2006. Fotoğraf: Gül Sarıdikmen

Klasik üslubun son örneklerinden olan sebil, aynı zamanda yuvarlak ve dilimli planı ile Lale Devri özelliklerinin de habercisidir. Sebil, içte dörtgen plana sahip olup üzeri pandantiflerle geçilen bir kubbeyle örtülüdür. Dışa taşan dilimli yarım yuvarlak cephe ise kurşun kaplı yarım bir kubbeye ve saçağa sahiptir. Sebilin dört mermer dilimli etek kısmı dışbükeydir. Tezgâh bölümüne oturan tunç bilezikli ve mukarnaslı başlığa sahip beş mermer sütun, kilit taşlarında kabartma rozet olan sivri kemerlerle birbirine bağlanır. Aralarda oluşan dikdörtgen, mermer söveli dört pencere açıklığına dışbükey bronz şebekeler yerleştirilmiştir. Pencerelerin üst kısmında, mukarnas başlıkların hizasında rumi ve kıvrık dallarla kabartma olarak bezenmiş dışbükey mermer panolar vardır. Sebil yüzeyindeki süsleme, saçak altında yer alan bir sıra mukarnas dizisiyle sona erer. Pencere açıklıklarını örten şebekeler, sebil cephesine uygun olarak dışbükey formdadır ve kompozisyonda, sırt sırta vermiş uçları toplu C motifleri kaydırılmış eksenlerde tekrar eder. Altta Bursa kemerli olarak düzenlenmiş altışar su verme aralığı vardır. Kumbaracılar (1938: 28) tarafından *İstanbul Sebilleri* kitabında yayınlanan fotoğrafında, sebilin oldukça bakımsız ve harap bir durumda olduğu, pencerelerde bugünkünden farklı, daha basit şebekelerin yer aldığı görülür. Sebilin içinde, üzerinde servi, vazo içinde çiçekler ve rozet kabartması olan mermer bir su teknesi vardır.

14

KAPTAN İBRAHİM PAŞA SEBİLİ

H.1120/M.1708

~

Beyazıt'tan Süleymaniye'ye giden yolda, İstanbul Üniversitesi'nin Vezneciler yönündeki kapısının karşısında, köşededir. Kaptanıderya Hacı İbrahim Paşa tarafından h.1120/m.1708'de yaptırılmıştır. Köşe sebilleri grubuna giren sebil; cami, mektep, aşhane, hamam ve hazireden meydana gelen Kaptanderya İbrahim Paşa Külliyesi'ne dahildir. Sebil, külliyenin hazire duvarı köşesinde yer alır. 1944'te esaslı bir onarımdan geçirilmiş, üst örtüsü ve geniş saçağı yenilenmiştir. Günümüzde büfe olarak kullanılmaktadır.

Hazirenin köşesinde beşgen olarak dışa açılan sebilin iç mekânı, dikdörtgen planlı ve tonoz örtülü olup, dışarıdan çokgen cephe üzerinde, kurşun kaplı geniş saçak ve kubbe ile örtülüdür. Hazire duvarı taş-tuğla almaşık duvar örgülü, sebil cephesi ise mermer kaplıdır. Beş pencere ile dışa açılan sebil, sadeliği, zarif görünüşü ve uyumlu oranlarıyla klasik dönem özellikleri gösterir ve yapıldığı tarih itibariyle klasik dönemin son sebillerinden biridir.

Süslemesiz çokgen etek kısmından silmeyle geçilen tezgâh üzerinde tunç bilezikli ve mukarnas başlıklı altı mermer sütun birbirine basık sivri kemerlerle bağlanır. Sütun aralarında oluşan pencere aralıkları, dikdörtgene yakın basık kemerlidir ve döküm şebekelerle örtülüdür. Düşey ve diyagonal çubuklarla kesilen altıgenlerden oluşan geometrik kompozisyona sahip şebekelerin alttaki dörder su verme aralığı, basit kaş kemer biçiminde tasarlanmıştır. Sütunların mukarnaslı başlıkları arasında pencere kemeri üzerinde, dörder kartuş içinde Şair Ferdi'nin ikişer beyit olarak düzenlenmiş on beyitlik manzum kitabesi yer alır. Kitabelerin üzerindeki kemer aynalarının üçü, palmet tepelikli, rumi ve kıvrık dal düzenlemeli, diğer ikisi ise zencirek biçiminde bir örgü bordürü içine oturtulmuş, adeta palmet tepelikli dilimli bir kubbe formunda motiflerle süslüdür. Sivri kemerlerin kilit taşlarına birer rozet ve köşeliklere kıvrık dal ile rumilerden oluşan kabartma süsleme yapılmıştır.

Üstte birer sıra mukarnaslı ve palmetli bordürlerle sebilin yüzey süslemesi tamamlanarak geniş saçağa geçilir. Klasik dönemin diğer sebillerine göre sütun başlıkları üzerinden itibaren cephelerde oldukça yoğun süslemeye sahiptir.

Kitabenin tarih beyiti:

Ferdi-i şîrîn-edâ tarih-i itmâmın dedi
Yapdı İbrâhim Paşa ayn-ı Zemzem'dir sebîl 1120

15

RAKIM PAŞA ÇEŞMESİ

H.1128/M.1715

~

Rumelihisarı Arpacı Sokağı'nın başında, Ali Pertek (Pertev) Camii'nin ön cephesindedir. H.1128/m. 1715'te, Tersane Emini Rakım Mehmed Paşa tarafından babası Defterdar Bozoklu Yoz İbrahim Efendi'nin ruhu için hayrat olarak yaptırılmıştır (Tanışık 1945: II. 50).

Klasik üsluptaki çeşme kesme taştan yapılmıştır. Dikdörtgen cephede, iki uçtan ince sütunçelerle kenarlar yuvarlatılmıştır. Silmelerle çerçevelenen dikdörtgen cephede, celi sülüs hatla yazılmış kitabesi ve kilit taşında rozet olan basık sivri kemerli çeşme nişi vardır. Kesme taştan yapılmış olan çeşmenin sonradan takıldığı anlaşılan ayna taşı düz mermer levha halindedir. Arpacı Çeşme Sokağı tarafında, yokuşa doğru bakan yan cephesinde yine bu ayna taşıyla aynı özellikte üç mermer levha ve musluk vardır. Yapının Tanışık'ın (1945: II. 51) 1945 tarihli kitabındaki fotoğrafında, günümüze ulaşmayan kaş kemer ve rozet süslemeli eski ayna taşının iki yanında

sivri kemerli birer tas nişi olduğu görülür. Mermer teknesi, setleri, haznenin yan kısmındaki musluklar ve üstte, yapının çokgen yapısına uygun olarak gelişen betonarme saçak sonradan eklenmiştir. Çeşme, son eklemelerle üç cepheli köşe çeşmesi görünümü kazanmıştır.

Rakım Paşa Çeşmesi genel görünüş, 2007. Fotoğraf: Gül Sarıdikmen

Kitabesi:

Hemçü zemzem nûş kıl mâ ayn-ı İbrâhim'den 1128

16

SULTAN III. AHMED KÜTÜPHANESİ ÇEŞMESİ

H.1131/M.1718

~

Topkapı Sarayı içinde, III. Ahmed Kütüphanesi önünde yer alır. Sultan III. Ahmed tarafından h.1131/m. 1718'de yaptırılmıştır. Duvar çeşmesidir. Arkasında kütüphane girişinde, alınlığına yaslanan bir çeşme daha vardır.

Sultan III. Ahmed Kütüphanesi Çeşmesi mukarnaslı niş, ayna taşı süslemeleri ve kurna görüntüsü

Mermer çeşmenin dikdörtgen cephesinin üstteki kenarları dilimli üçgen alınlıkla taçlandırılır. İki kenarında yarım palmet ve tepede rozet olan üçgen alınlığın yüzeyi, rumi motifli kıvrık dallarla süslüdür ve şair Lebib'in kitabesi iki satır halinde dört sıra kartuşta yer alır. Alınlık altında dikdörtgen çeşme cephesi üç bölümdür. İnce bordürler ve silmelerle çerçevelenen dikdörtgen alanda, mukarnaslı niş ve ayna taşı vardır. Mukarnaslı niş, köşelik ve ortasında rumi, çiçek ve kıvrım dallardan oluşan süslemeye sahiptir. Mukarnaslı silme altında ayna taşına, dikdörtgen içinde Bursa kemeri ile bir vazodan çıkan gül ve karanfiller kabartma olarak işlenmiştir. Önünde dilimli kurnası vardır. Ayna taşının yanındaki iki dar bölüme, basık sivri kemerli dekoratif kurnalı birer çeşmecik yerleştirilmiştir. Silmeyle belirlenen dikdörtgen çerçeve içinde basık sivri kemerli nişte, rumi süslemeler altında mukarnaslı bordür ve simetrik yerleştirilmiş birer stilize lale motifi görülür. Karşılıklı lalelerin yaprakları birleşerek dalgalı kemer formu oluşturur.

Topkapı Sarayı'nda, III. Ahmed Kütüphanesi önündeki Sultan III. Ahmed Kütüphanesi Çeşmesi genel görünüş, 2006. Fotoğraf: Gül Sarıdikmen

Kitabenin tarih beyiti:

Eyle bu târîhi beş vaktine zâmm
Âbdeſt al sünnetiyle Ahmed'in 1131

Merdivenlerle çıkılan kütüphane girişinde, arkasından üçgen alınlığına yaslanan diğer mermer çeşme dikdörtgen olup, üſtte tepesi alemli dilimli basık kubbe formunda tepeliği, palmet ve mukarnaslı bordür altında silmelerle çevrelenen dikdörtgen cephesinde tek satırlık kitabe ile altında yuvarlak kemer formunda iſtiridye kabuğu dilimli nişe sahiptir. Alçak, yarım yuvarlak mermer teknesi vardır.

Kitabesi:

Hasbüke ta'rihen limâ fîhi şifâun ve rahme.

17

NEVŞEHİRLİ DAMAD İBRAHİM PAŞA ÇEŞMESİ VE SEBİLİ
H.1132/M.1719

~

Şehzadebaşı'nda, Nevşehirli Damad İbrahim Paşa Külliyesi'nin kuzeybatı köşesinde yer alır. Sadrazam Nevşehirli Damad İbrahim Paşa tarafından h.1132/m.1719'da, Mimar Bekir'in başmimarlığı zamanında yaptırılmıştır.

Çeşme ile köşe sebilleri grubuna giren sebil, Damad İbrahim Paşa Külliyesi'ne dahildir. Külliye; cami, medrese, kütüphane, çarşı, hazire, çeşme ve sebilden oluşur. Sebil, kuzeybatı köşede yuvarlak planıyla köşeden dışarı taşar ve Dede Efendi Caddesi yönündeki çeşme ile aynı kurşun kaplı saçağı paylaşır. Sebil ile çeşme arasında, sebilin basık kemerli kapısı vardır.

Duvara bitişik mermer çeşmede klasik üslup özellikleri görülür. Dikdörtgen cephe, üſtte geniş saçak altında, korniş ve iki yanda pahlı köşelerdeki gövdesi burmalı dekoratif sütunlarla belirlenir. Silmelerle çevrelenen dikdörtgen alanda, üſtte üç satırlık kitabesi ve basık sivri kemerli niş yer alır. İki renkli mermer kemerin kilit taşında kabartma bir rozet ile köşelikte daha büyük birer rozet görülür. Nişin içinde, bitkisel motifli kabartma süsleme altında sekiz satırlık kitabe vardır. Ayna taşı, dalgalı kaş kemer ve rozet kabartmasıyla süslüdür ve günümüz-

20. yüzyıl başında Nevşehirli Damad İbrahim Paşa Sebili ve Şehzade Külliyesi'nden görünüm. Ömer Faruk Şerifoğlu Arşivi

de yarıya kadar yol seviyesinin altındadır. Tekne olması gereken yerde kaldırım devam eder. Kitabeler, hattat Veliyüddin Efendi tarafından talik hatla yazılmıştır. Kitabe şairleri Râşid ve Tâib'dir (Aynur-Karateke 1995: 135-136).

Çeşmedeki Tâib'in kitabesinin tarih beyiti:

Zülâl-i birr ü ihsânından İbrâhîm Pâşânın
İçip şâd eyleyin ervâh-ı ıtâş-ı ehl-i îmânı 1132

Çeşmedeki Râşid'in kitabesinin tarih beyiti:

Zebân-ı lülesi der teşneye ta'rih içün Râşid
Su iç bu çeşme-i Dâmâd İbrâhîm Pâşâ'dan 1132

▲
Nevşehirli Damad İbrahim Paşa
Çeşmesi ve Sebili genel görünüş,
2007. Fotoğraf: Gül Sarıdikmen

Lale Devri sebillerinin en güzel örneklerinden biri olan sebil, dönemin tüm karakteristik özelliklerini taşır. Yuvarlak dışbükeyli planı ile köşeden dışarı taşan sebilin beş pencere açıklığı vardır. Üzeri kurşun kaplı küçük bir kubbe ve geniş saçakla örtülüdür. Sebilin tüm yüzeyi, sütun başlıklarında da kesintisiz olarak devam eden palmet, hatayi, mukarnas, baklava, yıldız gibi çeşitli motiflerle frizler halinde çok yoğun ve dengeli bir süsleme programına sahiptir. Günümüzde sebilin etek kısmı, yarıya kadar yol seviyesinin altında kalmıştır.

Sebilin kabartma süslemeli etek bölümü üzerindeki tezgâhta, tunç bilezikli ve mukarnas başlıklı altı mermer sütun arasında beş pencere açıklığı oluşturulmuştur. Sütunlar ve pilastrlarla cephenin düşey bölümlenmesi sağlanmıştır. Pencere kemerleri, dalgalı basık kaş kemer biçimindedir. Kemerlerin üst kısmındaki, ikişer kartuş içinde tek satırdan oluşan on beyitlik celi talik hatlı tarih kitabesi Şair Reşid'e, üstte yer alan diğer tarih kitabesi ise Şair Vehbi'ye aittir.

Pencere açıklıkları, sebilin dışbükeyliliğine uygun olarak dışbükey tasarlanmış tek parça döküm demir şebekelerle örtülüdür. Özgün haliyle günümüze ulaşan şebekelerde, diyagonal hatların birbirleriyle kesişmelerinden meydana gelen kenarları tırtıllı baklava motifleri ile kompozisyonun tam ortasında, yirmi dilimli bir rozet, kemerlerin kilit noktalarına rastlayan kısımlarında stilize birer lale motifi ile alt iki köşede simetrik olarak çeyrek rozet yer alır. Şebekelerde altta, iki yanda yer alanlar dikdörtgen biçimli olup, ortadaki dört açıklıkta kaş kemerli altışar su verme aralığı vardır.

Vehbi'nin kitabesinin tarih beyiti:

Kıldı reyyân cûd-ı İbrâhîm Pâşâ âlemi
Fî sebîlillâh akıtdı dehre mâ-ı Zemzem'i 1132

Reşid'in kitabesinin tarih beyiti:

Reşîdâ müjde edip teşnegâna söyle ta'rîhin
Sebîl-i 'ayn-ı İbrâhîm Pâşâ'dır için sıhhâ 1132

Son olarak 2012'de restorasyona alınmıştır.

18

DAMAD İBRAHİM PAŞA
(HİBETULLAH HANIM) ÇEŞMESİ

H.1136/M.1723

~

Ortaköy'de, Ortaköy Camii'nin batı tarafında, meydandadır. Kesme taş hazneli ve meydana bakan cephesi mermer olan çeşme, Lale Devri eserlerindendir. Sultan III. Ahmed'in sadrazamı Damad İbrahim Paşa'nın hazinedarı ve damadı olan Kethüda Mehmed Ağa ve eşi Hibetullah Hanım tarafından h.1136/m.1723'te yaptırılmıştır. Mehmed Ziya ve İbrahim Hilmi Tanışık, çeşmeyi Damad İbrahim Paşa Çeşmesi olarak tanıttıkları için sonraki yayınlarda da yapı bu isimle anılmıştır (Aynur-Karakeke 1995: 160). Çeşme 1992 yılında, Beşiktaş Belediyesi tarafından meydanın yeniden düzenlenmesi nedeniyle yerinden biraz kaydırılmış ve restore edilmiştir.

▲

Damad İbrahim Paşa (Hibetullah Hanım) Çeşmesi'nin kitabesi

Dörtgen su haznesi olan meydan çeşmesinin, sadece denize bakan mermer kaplı ön cephesi çeşme olarak tasarlanmıştır. Yapının mermer cephesi, mukarnaslı bordür ve palmet dizisinden oluşan tepelikle taçlandırılır. Çeşmenin ön cephe kenarları, kum saati biçimli ince, zarif sütunçelerle yuvarlatılmıştır. Silmelerle çerçevelenen dikdörtgen alanda yedi satırlık kitabe ve yarım yuvarlak içinde iştiridye kabuğu kemerli çeşme nişi vardır. Çeşmenin üçer bölümlük talik hatlı kitabesinin tarih beyiti, Trabzonlu Şakir Ahmed Paşa'ya aittir. Niş içinde bitkisel ve mukarnaslı birer silme altında, ayna taşında dikdörtgenle belirlenen boş kitabelik, kaş kemer, bir rozet ve musluğun iki yanında birer servi motifi yer alır. Önünde tekne ve setleri olan çeşmenin dışa taşan orta bölümünün iki yanında, önlerinde kurnası olan küçük birer çeşmecik vardır ve nişi belirleyen kemer, ortadaki çeşme nişiyle aynı biçimdedir. Sığ niş içinde dalgalı kaş kemer ve rozet kabartması bulunur. İki yan bölümün kenarları yine kum saati biçimli sütunçelerle yuvarlatılmıştır.

▲

Damad İbrahim Paşa (Hibetullah Hanım) Çeşmesi cephesinden çeşmecik görüntüsü

◄

Ortaköy Meydanı'nda Damad İbrahim Paşa (Hibetullah Hanım) Çeşmesi genel görünüş, 2007. Fotoğraf: Gül Sarıdikmen

Kitabenin tarih beyiti:

Şakira didim leb-i adab ile tarihini
İç bu ziba çeşmeden ayn-ı hayat-ı canfeza 1136

SALİHA SULTAN
(YEDİEMİRLER TEKKESİ) ÇEŞMESİ
H.1138/M.1725

~

Kocamustafapaşa Canbaziye Mahallesi'nde yer alır. H.1138/m.1725'te Sultan I. Mahmud'un annesi Saliha Sultan tarafından yaptırılmıştır. Klasik üslupta, hazneli kesme taştan üç cepheli köşe çeşmesidir.

İki yan cephesine göre açılı olarak öne çıkan ön cephesi, köşelerdeki ince zarif gövdeli sütunçelerle yuvarlatılmıştır. Silmelerle çerçevelenen dikdörtgen cephede, dört satırlık kitabe kuşağı ve basık sivri kemerli çeşme nişi vardır. Kemerin kilit taşına ve köşelik kısmına birer kabara işlenmiştir. Ayna taşı, kabartma bitkisel motiflerle süslü bordürle çerçevelenir. Kabartma süslemeli bordür içerisinde, "Ab-ı safı içelim Bismillah" yazısı ile dikdörtgen içinde, köşelikte gül motifleri olan dalgalı kemer ve bir rozet yer alır. Önünde teknesi vardır.

Çeşmenin yan cephelerinin ön cepheye yakın kısmına, kabartma süslemeli mermer küçük birer çeşmecik yerleştirilmiştir. Dekoratif kurnaları olan çeşmelerin ayna taşları, yuvarlak kemerle belirlenen istiridye kabuğu motiflidir. Üst kısmında bir yazı kuşağı, silmeler ile mukarnaslı bordür yer alır ve bitkisel süslemeli palmet tepelikle taçlandırılır.

Kitabenin tarih beyiti:

Zebân-ı lüleden gûş eyledim târîhini Rûhî
Suvardı âlemi kandırdır suya Vâlide Sultân 1138

SULTAN III. AHMED
MEYDAN ÇEŞMESİ VE SEBİLİ
H.1141/M.1728

~

Bâb-ı Hümayun önünde yer alan Sultan III. Ahmed Meydan Çeşmesi ve Sebili, adeta küçük bir su köşkü görünümüyle L'Espinasse, Choiseul-Gouffier, Antoine Ignace Melling, William Henry Barttlet, John Frederick Lewis, Thomas Allom, Eugène Flandin, Brindesi, Amadeo Preziosi gibi Batılı sanatçılar ve Hüseyin Zekai Paşa, Şevket Dağ başta olmak üzere pek çok Türk sanatçı tarafından da resmedilmiştir (Sarıdikmen 2007: 613-621).

Lale Devri'nin ve İstanbul'daki çeşme-sebil mimarisinin en güzel örneği olan yapı, L'Espinasse, Choiseul-Gouffier, Antoine Ignace Melling, William Henry Barttlet, John Frederick Lewis, Thomas Allom, Eugène Flandin, Brindesi, Amadeo Preziosi gibi Batılı sanatçılar ve Hüseyin Zekai Paşa, Şevket Dağ başta olmak üzere pek çok Türk sanatçı tarafından da resmedilmiştir.

◄

Bâb-ı Hümayun önündeki Sultan III. Ahmed Meydan Çeşmesi ve Sebili'nden ve etrafındaki gündelik yaşamdan bir kesit, 20. yüzyıl başı. Ömer Faruk Şerifoğlu Arşivi.

Lale Devri'nin ve İstanbul'daki çeşme-sebil mimarisinin en güzel örneği olan yapı, Sultan III. Ahmed tarafından, h.1141/m.1728'de Kayserili Mehmed Ağa'nın mimarbaşılığı zamanında yaptırılmıştır.

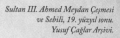
*Sultan III. Ahmed Meydan Çeşmesi
ve Sebili, 19. yüzyıl sonu.
Yusuf Çağlar Arşivi.*

Bâb-ı Hümayun önündeki kare planlı meydan çeşmesinin dört cephesinde birer çeşme ve dört köşesinde yarım yuvarlak olarak dışa taşan birer köşe sebili yer alır. Yapının iç kısmında, sekizgen bir su haznesi vardır. Denge ve simetrinin hâkim olduğu yapıda, her cephenin tam ortasına sivri kemerli birer çeşme nişi ve iki yanına, biri hariç, simetrik olarak mukarnas kavsaralı birer niş yerleştirilmiştir. Cephelerden birinde, mukarnas kavsaralı nişlerin yerine kapı konulmuştur. Yapının üzeri, kurşun kaplı ve ortasında büyük bir kubbe yer alan dört yana meyilli bir üst örtüyle örtülüdür. Ayrıca sebillerin üst kısımlarında kasnaklı ve kurşun kaplı küçük birer kubbe yükselir. Geniş saçakta kabartma ve kalemişi işi süslemeler mevcuttur. Yapı, Lale Devri'nin tüm özelliklerini taşımakla birlikte, barok üsluba geçişin de habercisi niteliğindedir. Günümüzde oldukça iyi durumda olan yapı, 1995 yılında restore edilmiştir.

Cephelerde, panolar halinde yan yana sıralanan yoğun bir süsleme görülür. Mimari ve bezemede renkli mermer ve çini kullanılmıştır. Geniş ahşap saçak altında, yapıyı çepeçevre saran bir sıra çini bordür yer alır. Palmet, mukarnas, kıvrık dallar ve çiçekler, madalyon, salbekli şemse, rumi tasarımları, vazolar içinde çiçekler ve sehpa üzerindeki vazolarda çiçeklerden oluşan kabartma süsleme ve kitabe kuşakları ile bütün cepheler doldurulmuştur. Natüralist üsluptaki bu çiçekler ve meyveler birer yeniliktir ve dönemin sanat beğenisindeki değişikliği yansıtır.

Sultan III. Ahmed Meydan Çeşmesi ve Sebili, 2007. Fotoğraf: Gül Sarıdikmen

Yapıdaki kitabeler, Şair Vehbi'nindir. Ayasofya'ya bakan cephedeki tek satırlık kitabe, Sultan III. Ahmed'in kendisi tarafından söylenmiş, celi sülüs hatla yazılan tarih kasidesidir. Kitabe, sivri kemerli çeşme nişi ve iki yanındaki mukarnas kavsaralı nişlerin genişliğince cephede yer alır. Diğer cephelerdeki kitabeler, çeşme nişi genişliğinde ve beşer satır, beşer beyittir. Sebillerdeki kitabeler ise kartuşlar içinde ikişer satır, üçer beyittir.

Sultan III. Ahmed'in tarih beyiti:

*Tarihi Sultan Ahmed'in câri zeban-ı lûleden
Aç besmeleyle iç suyun Hân Ahmed'e eyle duâ 1141*

Çeşmeler, iki renkli sivri kemerli nişe sahiptir. Kemer köşeliğine, kıvrımlı dallardan bitkisel süslemelerle birer kabara, kemerin iç kısmına yine yoğun bitkisel süsleme işlenmiştir. Bordürle geçilen ayna taşında, iki yanda sehpa üzerinde vazolarda çiçekler, ortada yuvarlak madalyon, rozet ve dalgalı kemer kabartması vardır. Önünde tekne ve set yer alır. İki yanda mukarnas kavsaralı nişler, üst kısımda kitabe kuşakları ve saçak altına kadar kuşaklar halindeki süslemeler tüm yapıyı çepeçevre sarar.

Köşelerde, basamaklı podyum üzerindeki sebiller; plan, mimari özellikler ve bezemeleri yönünden birbirinin eşi gibi görünseler de bezemelerinde ve şebekelerinde farklılıklar vardır. Sebillerin cephelerinde, mukarnaslı başlıklı mermer sütunlar arasında, basık kemerin dilimli haliyle ortaya konan kemerlere sahip üç pencere açıklığı vardır. Bu açıklıklar oldukça dekoratif madeni şebekelerle örtülüdür. Yapının cepheleri, etekten saçak altına kadar panolar halinde yoğun bir bezemeye sahiptir.

▲

Sultan III. Ahmed Meydan Çeşmesi ve Sebili'nin kitabesi ve süslemeleri

Sebilin pencereleri, tunç döküm şebekelerle örtülüdür. Her sebilin şebekesi, pencere açıklığına ve dilimli kemer formuna uygun çerçeveye sahiptir ve cephenin dışbükey hareketine uygun olarak dışbükey formda biçimlendirilmiştir. Şebeke kompozisyonlarında, kaydırılmış eksenlerdeki madalyonlar düğümlerle birbirine bağlanır. Yalnız şebekelerden birinde, madalyonlar birbirinin içinden geçer. Madalyonlar içindeki motifler, ştilize laleye benzemekle birlikte, rumilerden oluşan palmet motifleridir. Madalyonlar içerisine karşılıklı olarak yerleştirilen iki ruminin birleşmesiyle palmet motifi ortaya çıkmıştır. Her bir şebekede bu palmetler farklılık gösterir ve ortalarında badem biçiminde birer açıklık vardır. Şebekeler ştilize lalelerle bölümlenen beşer su verme aralığına sahiptir. Su verme aralıklarını bölümlendiren çubuklar, ştilize birer lale görünümündedir ve lalelerin iki yana açılan taç yapraklarının üştteki motiflerle birleşmesi sonucunda, kaş kemer oluşturulmuştur (Sarıdikmen 2001: 250-254).

21

SALİHA SULTAN MEYDAN ÇEŞMESİ VE SEBİLİ
H.1145/M.1732

~

Azapkapı'da, Unkapanı Köprüsü'nün Galata yönündeki girişinin önünde bulunan meydanda, Sokollu Mehmed Paşa Camii'nin arkasındadır. Azapkapı Çeşmesi olarak da bilinen ve yabancı kaynaklarda Galata Çeşmesi adıyla (Sarıdikmen 2004: 445) geçen yapı; su haznesi, sebil ve çeşmelerden oluşan bir meydan çeşmesidir.

Sultan III. Muśtafa'nın eşi, Sultan I. Mahmud'un annesi Saliha Sultan tarafından Kayserili Mehmed Ağa'nın mimarbaşılığı zamanında h.1145/m.1732-1733 yıllarında yaptırılmıştır. Hem Lale Devri geleneğini sürdüren, hem de

Azapkapı Çeşmesi olarak da bilinen ve yabancı kaynaklarda Galata Çeşmesi adıyla geçen yapı 2006'da yapılan restorasyon sonucunda iyi durumdadır.

Sultan I. Mahmud devri yeniliklerini gösteren (Barışta 1995: 74) yapı, suyunu Taksim Maksemi'nden alır.

Beşgenden gelişen dört cepheli yapının ön cephesinde; iki yanda simetrik olarak sivri kemerli birer çeşme ve çeşmelerin arasında yarım daire olarak dışa taşan bir sebil vardır. Tüm bezeme ön cephede yoğunlaşmış olup diğer cepheler sadedir. Mermer kaplı bu cephelerden güney yönündekinde üç, kuzeydekinde iki ve arkadakinde üç ayna taşı vardır. Sebil ve çeşmelerin olduğu cephede, natüralist üslupta çiçekler, meyveler, rumiler, palmetler, mukarnaslar, kıvrım dallar, vazo içlerine yerleştirilmiş çiçekler, çiçek dolu vazoların yer aldığı sehpalar, panolar ve bordürler halinde mermere işlenmiştir. Yapıldığı dönemde çevresi binalarla kuşatılmış olduğu için süsleme sadece meydana bakan ön cephede yoğunlaşmıştır. Yapının geniş ahşap kalemişi bezemeli saçağı üzerinde, kurşun kaplı olarak önde sebil üzerinde yüksek kasnaklı, dilimli ve alemli küçük bir kubbe ve hazne üzerinde ortada büyük bir kubbeyi saran yüksek kasnaklı sekiz küçük kubbecik yükselir.

1910'lu yıllarda tamir edilmek amacıyla kısmen sökülen yapı, araya savaş yıllarının girmesiyle uzun yıllar harabe halinde kalmıştır. 1952-1953 yıllarında İstanbul Valisi ve Belediye Başkanı Prof. Dr. Fahreddin Kerim Gökay zamanında esaslı bir onarım görmüştür. Yapının ilk onarım projesi Mimar Kemal Altan tarafından hazırlanmış, ancak uygulanmamıştır. 1952-1953'te Yüksek Mimar Ali Saim Ülgen tarafından ha-

Azapkapı Çeşmesi ve Galata Çeşmesi olarak da bilinen Saliha Sultan Meydan Çeşmesi ve Sebili genel görünüş
▼

zırlanan tamir projesine göre tamir edilmiştir. 1954'te İstanbul Belediyesi Sular İdaresi tarafından *Azapkapı Çeşmesi* adıyla bir yayın hazırlanmış, yapı ve onarımıyla ilgili bilgiler verilmiştir. Yapı, 1954'te çukurda kaldığı için etrafına belediye tarafından bir parabet çekilmiştir (Ünsal 1969: 44-45). 1958'de yanındaki sıbyan mektebi yıktırılan (Ünsal 1969: 42; Koçu 1960: III. 1680) sebil, etrafı neredeyse tamamen açıldığı için iyice çukurda kalmıştır. 2006'da yapılan restorasyon sonucunda günümüzde iyi durumdadır.

Bugün kullanılmayan sebil, yarım daire bir podyum üzerinde yer alır. Mukarnas başlıklı altı mermer sütunla düşey eksende beşe bölünmüş ve aralardaki dilimli kemerli açıklıklardan biri kapı, dördü pencere açıklığı olarak değerlendirilmiştir. Mermer etek bölümünden silme ve bitkisel bezemeli bordürle geçilen tezgâh üzerinde, tunç bilezikli ve mukarnas başlıklı sütunlar arasında, dilimli kemerli dört pencere açıklığı vardır. Pencerelerden uçtakiler, diğerlerine göre daha dardır. Kemerlerin üzerinden itibaren saçak da dahil olmak üzere tüm yüzeye yoğun bir süsleme hâkimdir. Kabartma olarak çeşitli çiçekler, çan çiçekleri, kıvrım dallar, rumi, palmet, hatayi ve mukarnaslardan oluşan bordürlerle kompoze edilmiştir. Bu süsleme ve bordürler, sebilin düşey bölümlenmesine katkıda bulunan pilastrlarda da kesintisiz devam eder. Geniş olan üç pencere kemerinin üzerinde, çerçeve içindeki kartuşlarda dörder satır olarak kitabe panoları, iki yandaki dar açıklıklarda ise kıvrım dallar ve çiçeklerle süslü panolar vardır. Sebilin pencere açıklıkları, bronz döküm şebekelerle örtülüdür. Şebeke kompozisyonun temelini, helezonik bir tasarım halinde düzenlenen ve kaydırılmış eksende madalyonlar meydana getiren rumi motifleri oluşturur. Rumilerden oluşan helezonik kıvrım dal motifleri, ters yönlere bakar vaziyette, sırt sırta dönük olarak birbirlerine bağlanır ve birleşim yerlerinde badem biçimli boşluklar oluşur. Şebekelerde, dar olan açıklıkta üç, geniş açıklıklarda beşer su verme aralığı vardır. Su verme aralıkları, sütun ve dilimli kemer sistemiyle bölümlenmiştir (Sarıdikmen 2001: 220-222).

İki yanda bulunan sivri kemerli çeşmelerin tüm yüzeyi, sebil cephesindeki gibi bezenmiştir. İki yandan burmalı sütunçelerle sınırlandırılmış olan çeşmeler; kıvrık dallar, mukarnaslar, kabara, rozet, saksı içinde meyveler, vazolarda çiçek motifleri ve beşer satırlık kitabeleriyle zengin bir süsleme kompozisyonuna sahiptir. Önlerinde birer tekne ve set vardır.

Sebil ve çeşmeler üzerindeki h.1145 tarihini veren kitabelerin şairi Seyyid Vehbi, hattatı ise Eğrikapılı Mehmed Rasih Efendi'dir.

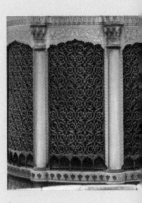

▲

Sebilin sütunları ve şebeke kompozisyonu

Sebil kitabesinin tarih beyiti:

Vehbiya tarihin işrab it utaş-ı ümmete
Gel sebil-i Valide Sultandan ab-ı Kevser iç 1145

Sebilin sağındaki çeşme kitabesinin tarih beyiti:

Bâri bir mümtâz târih eyleyüb
Vâlide Sultanın iç hayrıne mâ 1145

Sebilin solundaki çeşme kitabesinin tarih beyiti:

Oldu târihe sezâ ey Vehbî
Çeşme-i Vâlide-i Han Mahmûd 1145

22

BEREKETZADE ÇEŞMESİ
H.1145/M.1732

~

Galata Meydanı'nda yer alan mermer çeşme, İstanbul çeşmelerinin görkemli taş işçiliğini gösteren güzel örneklerinden biridir. Bereketzade Mescidi'nin yanında olmasından dolayı bu isimle anılmıştır. 1957-1958'de mescidin yanından Galata Kulesi'nin olduğu meydana taşınmıştır. Fatih Sultan Mehmed'in müezzinbaşının yaptırdığı çeşme, Defterdar Mehmed Efendi tarafından yenilenmiştir. H.1260/m.1844 senesinde Bezmiâlem Valide Sultan tarafından Hazinedar Azmi Cemâl Kalfa hayratı olarak ve 1910'larda da İstanbul Şehri Muhibleri Cemiyeti ve Evkaf Nezareti Sermimarı Ziya Bey nezaretinde tamir ettirilmiş ve saçak eklenmiştir. Çeşmenin geniş saçağının iç kısmı, natüralist çiçek motifleriyle bezenmiştir.

▲
Bereketzade Çeşmesi Galata Kulesi'nin olduğu meydanındaki yeni yerinden genel görünüş, 2007. Fotoğraf: Gül Sarıdikmen

Duvara bitişik tek cepheli çeşme, ortada dalgalı kemerli niş, çeşme aynası ve kitabelerin olduğu geniş bölüm ile iki yanında küçük çeşmeciklerden oluşur ve geniş saçağı vardır. Çeşme cephesinde, mermer kabartma olarak oldukça zengin süsleme kompozisyonları vardır. Lale Devri ve sonrasında görülen sehpa üzerinde vazolarda çiçekler, saksıda çiçekler, kâseler içinde meyveler, laleler, güller, rozetler, lotus, palmet motifli silmeler, mukarnaslı bordürler, istiridye kabuğu nişler, dalgalı kemerler, kaş kemerlerle oldukça dekoratif bezenmiştir. Çeşmenin ayna taşında, lülenin iki yanında birer servi, üst kısmında bir rozet motifi yer alır.

Dilimli kemer üzerindeki altı kıtalık manzum kitabesi yanında, kemerin iki yanında iki satırlık kitabeler ile kemer içinde "Maşallah" yazısı, h.1260/m.1844 tarihinde Azmi Cemâl Kalfa için yaptırılan üç buçuk kıtalık onarım kitabesi ile ayet ve küçük çeşmelerin üst kısmında da "Besmele" ve ayet yazıları vardır.

İstanbul çeşmelerinin görkemli taş işçiliğini gösteren güzel örneklerinden biri olan çeşme, Lale Devri ve sonrasında görülen sehpa üzerinde vazolarda çiçekler, saksıda çiçekler, kaseler içinde meyveler, laleler, güller, rozetler, lotus, palmet motifli silmeler, mukarnaslı bordürler, istiridye kabuğu nişler, dalgalı kemerler, kaş kemerlerle oldukça dekoratif bezenmiştir.

►

Bereketzade Çeşmesi, eski yerinden genel görünüş, 20. yüzyıl başı.
Ömer Faruk Şerifoğlu Arşivi

Şair Galatalı Hafız'ın altı kıtalık kitabesindeki tarih beyiti:

Su gibi ezberleyüb Hâfız okur târîhini
İç Muhammed aşkına mâ çeşmeden âb-ı zülâl 1145

Tarih kitabesinin sağındaki küçük kitabe:

Hâfızâ bir olup dü mısra' eder
İki târihi çeşmeye taksim

Tarih kitabesinin solundaki küçük kitabe:

Mâ bu tesnim-i cûy-ı cennetden
Akdı iç aynân-ı tecriyan-ı naim. 1145

Yedi beyitlik onarım kitabesinin tarih beyiti:
Binde bir düşer dedi Nâzım-ı Nazîf târîhini
İç bu mâ-i kevseri Azm-i Cemâl icrâ iden 1260

23

TOPHANE (I. MAHMUD HAN) MEYDAN ÇEŞMESİ

H.1145/M.1732

~

Tophane Meydanı'nda yer alan, dört cepheli abidevi bir meydan çeşmesidir. H.1145/m.1732'de Sultan I. Mahmud tarafından yaptırılan çeşme, Türk su mimarisinin anıt eserlerindendir. Ayasofya'nın yan tarafındaki Sultan III. Ahmed Meydan Çeşmesi ve Sebili'yle birlikte İstanbul'un en büyük ve gösterişli meydan çeşmelerindendir. Cephesindeki mermer işleme ve süslemesiyle Türk rokokosunun zirvesidir. Lale Devri'nin sembollerinden olmuştur. Hazneli mermer çeşmenin dört yüzü de kabartma çiçek ve meyvelerle süslüdür. Plan olarak Üsküdar'daki 1728 tarihli Sultan III. Ahmed Meydan Çeşmesi'nin benzeridir. 1837 ve 1956-1957'de kapsamlı onarımlar geçirmiştir. Çeşmenin saçakları yıkılınca, üstü parmaklıklı bir teras biçiminde kalmıştır. 1956-1957'de İstanbul Sular İdaresi tarafından yaptırılan onarımda, mimar ve ressam Melling'in fotoğraf değerindeki gravürü esas alınarak saçak ve kubbe yeniden eklenmiş, saçakları renkli ve kabartmalı ahşap panolarla süslenmiştir. Uzun yıllar bakımsız kaldıktan sonra, 2006'da tamamlanan son onarımla günümüzde oldukça iyi durumdadır.

İstanbul'un en büyük ve gösterişli meydan çeşmelerinden olan eser, cephesindeki mermer kabartma süslemeleriyle Türk rokokosunun zirvesi olmakla beraber Lale Devri'nin sembollerinden biridir.

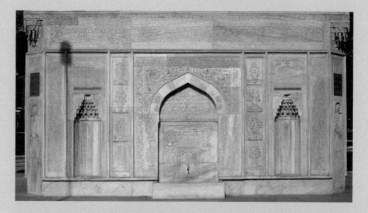

Kurşun kaplı kubbe ve geniş saçak örtülü yapının saçak altları zengin süslemelere sahiptir. Geniş saçağın köşeleri yuvarlatılmıştır. Dikdörtgen ve kare bölümlere ayrılmış olan saçak altları; cephelerde sivri kemerli çeşme kısmına denk gelen yerlerde oval madalyon biçiminde yüksek kabartma bitkisel süslemelerle, yine dörtgen bölümlenmelerde ve yuvarlatılmış köşelerde bitkisel kabartmalarla süslüdür.

Dört yüzlü anıtsal çeşmenin köşeleri pahlanarak bu yüzeylere birer niş yerleştirilmiştir. Çeşmenin cepheleri dolaşan yazı kuşağı şeklinde üç ayrı kitabesi vardır. Yapıyı çevreleyen üst kitabedeki ikişer satırlık kırk mısralık tarih kasidesi hattat ve şair Nahifi Süleyman Efendi'nin, nişlerin üzerindeki birer beyitlik on altı mısralık ikinci kaside Hanif İbrahim Efendi'nin ve köşe pahlarındaki dörder satırlık on altı mısralık tarih kasidesi şair Rahmi Mustafa Efendi'nindir. Mermer kaplı çeşmenin cephelerinde, yatay iki bölümlenme hâkimdir. Saçak altından yarıya kadar rumilerden oluşan korniş, mukar-

naslı silme; alt kısmında yan yana on altı yuvarlak kemerli bölümlenmelerde, saksılarda meyve ve çiçek ağaçları kabartmalarından oluşan bir kuşak altında, palmet ve kıvrık dallı bordürler ile ikişer satırlık kartuşlar içinde kitabe kuşağı yapıyı çevreler. Kitabe kuşağı altından itibaren bitkisel süslemeli kuşaklar devam etmiş ve köşeler pahlanarak bu pahlı bölümlere mukarnaslarla hareketlilik

katılmıştır. Cepheleri yatayda ikiye bölen silme altında, pahlı dar köşelerde bordürle çevrelenen alanda, dört satırlık kitabe ve istiridye kabuğu motifli niş, çiçekler, rozetler, akantuslarla süsleme tamamlanmıştır. Geniş cephelerde ise ortada; tepe kısmı düğümle beliren basık sivri kemerli çeşme nişi ile yanlarda dikey bölümlenmeyle saksı içinde çiçek ve meyve ağacı ile oluşan geniş bordür ile yanlarında üst kısmında birer satır kitabe olan mukarnas kavsaralı birer niş ve kıvrık dallarla bezeli bordürlerle sonlanır. Ortadaki sivri kemerin köşelik ve iç kısmında kıvrık dallar ile çiçeklerden oluşan süsleme, alt kısma doğru sehpa üzerinde saksı içinde çiçek kompozisyonlarıyla devam eder. Çeşme aynasında iki yanda sehpa üzerinde saksı içinde çiçekler ve üst kısmında kâse içinde meyvelerden oluşan bir kuşak vardır. Dikdörtgen içinde dalgalı kemer, bir rozet ve musluğun iki yanına birer servi motifi işlenmiştir. Yatay ve dikeyde gelişen bordürlerle oldukça yoğun bir süsleme programına sahiptir. Ayna taşı önünde birer mermer tekne yer alır.

▲

Tophane (I. Mahmud Han) Meydan Çeşmesi, üst örtüsünün yerinde parmaklıklı teras görüntüsü ve çevresindeki gündelik yaşamdan görünüş, 19. yüzyıl sonu. Abdullah Frères, Ömer Faruk Şerifoğlu Arşivi

Şair Süleyman Nahifi'nin kitabesinin tarih beyiti:
Dedi bû çeşme-i zîbâya Nahîfî târih
Râh-ı Haktâ hasenât eyledi Sultan Mahmûd 1145
Ketebehu Muštafa Kâtib-i sırr sabıkâ 1145

Şair Rahmi Muštafa Efendi'nin kitabesinin tarih beyiti:
Teşnegâne Rahmîyâ târîhin işrâb eyledim
Sa'yedip Sultân Mahmûd etti icrâ zemzemi 1145

Hanif İbrahim Efendi'nin kitabesinin tarih beyiti:
Dedi Hanîfâ çâkeri târîh-i ayn-ı enverî
İç âb-ı nâb-ı kevseri hep ayn-ı dil-cûdan hemîn
Ketebehu Ali hace-i Seray-ı cedid 1145

Bir kartpostalda Tophane (I. Mahmud Han) Meydan Çeşmesi

▼

Kabataş'ta Meclis-i Mebusan
Caddesi yönünden bakışla
Hekimoğlu Ali Paşa Meydan
Çeşmesi genel görünüş, 2007.
Fotoğraf: Gül Sarıdikmen

HEKİMOĞLU ALİ PAŞA MEYDAN ÇEŞMESİ
H.1145/M.1732

~

Kabataş İskele Meydanı'nda yer alan çeşme, yaklaşık kırk basamaklı geniş bir merdivenle çıkılan set üzerindeyken, 1957'de Meclis-i Mebusan Caddesi'nin genişletilmesi sırasında merdivenler kaldırılarak önüne bir duvar çekilmiş, daha sonra da bugünkü yerine, meydana taşınmıştır.

Kabataş İskele Meydanı'nda bulunan çeşme daha önce Kabataş İskelesi karşısındaki merdivenli set üzerinde yer alıyordu. H.1145/m. 1732'de Sadrazam Hekimoğlu Ali Paşa tarafından yaptırılmıştır. Çeşme, yaklaşık kırk basamaklı geniş bir merdivenle çıkılan set üzerindeyken 1957'de Meclis-i Mebusan Caddesi'nin genişletilmesi sırasında, merdivenler kaldırılarak önüne bir duvar çekilmiş, daha sonra da bugünkü yerine, meydana taşınmıştır (Ünsal 1969: 54). Çeşme yeniden kurulurken kaidesine basamaklar ve daha önce olmayan geniş saçaklı beton çatı eklenmiştir. Dört yüzlü meydan çeşmesidir. Kapsamlı bir onarımdan geçirilen çeşme, genel olarak sağlam olmakla birlikte suyu akmamaktadır.

Dört cepheli mermer yapının caddeye ve denize bakan iki cephesinde, basık sivri kemerli birer çeşme nişi ve tarih kitabeleri vardır. Diğer iki cephe, düz mermer kaplıdır. Üstte mukarnaslı kabartmalı bordür ve kornişle geçilen geniş saçağı kalemişi süslemelidir. Çeşmelerin yer aldığı cepheler, iki yanda düz mermer levhalarla kaplıdır ve basık sivri kemerli niş, tekne ve kitabelerin bulunduğu bölümleri dışa taşırılmıştır. İki köşesine ince birer burmalı sütunçe yerleştirilen ve bordürle çerçevelenen dikdörtgen alanda, altı satırlık kitabe ve bordür altında basık sivri kemerli niş yer alır. Sivri kemerin kilit taşında kabartma rozet, kemerin köşelik ve alınlığında ise kıvrık dallar ile çiçeklerden oluşan bitkisel süslemeler vardır. Sivri ke-

Hekimoğlu Ali Paşa Meydan Çeşmesi'nin denize bakan cephesindeki kitabe.

mer içindeki bu süsleme, kıvrık dallar ve mukarnaslı bordürle devam eder. Altta Lale Devri'nin vazo içinde lale, gül düzenlemeli kompozisyonları ile ayna taşında dalgalı kaş kemer, rozet ve simetrik birer servi motifi görülür. Önünde mermer tekne yer alır.

Deniz cephesinde Seyyid Vehbi'nin tarih kasidesi, ve cadde tarafında Müderris Vâkıf Mahmud Efendi'ye ait tarih kasidesi vardır. Seyyid Vehbi'nin deniz cephesindeki kasidesinin dokuzuncusu hariç bütün mısraları, ebced hesabıyla çeşmenin tarihini verir.

Seyyid Vehbi'nin kitabesinin tarih beyiti:

Muhammed Muſtafâ rûhûna bu âb-ı hayât akdı 1145
Ne dil-cû çeşme yapdı fî-sebîlillâh Ali Paşa 1145

Müderris Vâkıf Mahmud Efendi'nin kitabesinin tarih beyiti:

Yazılsa tâkına şâyeſte Vâkıfâ tarîh
Yerinde oldu binâ çeşme-i Ali Paşa 1145

Sol baştan 1. ve 2. fotoğraflar: Çeşme ve çevresinin 1935 ve 1939'daki görünümü (İstanbul'un İmarı ve Eski Eser Kaybı, s. 54)

Sol baştan 3. ve 4. fotoğraflar: Çeşme ve civarının 1950'lerde yaşadığı değişim (İstanbul'un Çeşme ve Sebilleri, s. 375.)

▲
Hekimoğlu Ali Paşa Sebili
genel görünüş, 2013
Fotoğraf: Gül Sarıdikmen

HEKİMOĞLU ALİ PAŞA SEBİLİ

H.1146/M.1733

~

*Cami, türbe,
kütüphane, tekke,
muvakkithane,
şadırvan, sebil
ve çeşmelerden
meydana gelen
Hekimoğlu Ali
Paşa Külliyesi'ne
dahil olan ve Lale
Devri özelliklerini
gösteren eser,
köşe sebilleri
grubuna girer.*

Altımermer Davutpaşa Mahallesi'nde, Hekimoğlu Ali Paşa Caddesi üzerinde, Hekimoğlu Ali Paşa Külliyesi'nin köşesindedir. Sadrazam Ali Paşa tarafından h.1146/m.1733'te yaptırılmıştır. Sebil; cami, türbe, kütüphane, tekke, muvakkithane, şadırvan ve çeşmelerden meydana gelen Hekimoğlu Ali Paşa Külliyesi'ne dahildir. Semavi Eyice (1967: V. 1214/97), sebilin 1831'de ve 1944'e doğru başarısız bir tamir geçirdiğini belirtmiştir. Mimar A. Kemalettin 1934'te yayımlanan makalesinde, sebilin restore ettiği planlar üzerine tamir edilmekte olduğunu kaydetmiştir (Kemalettin 1934: 211). Encümen Arşivi'nde 83 numaralı ve 1963 tarihli 62 numaralı Hekimoğlu Ali Paşa Külliyesi dosyasında ve dosyadaki bilgilerde 1934'te sebilin tamir edildiği kayıtlıdır. Sebil, 1986 yılında tekrar restore edilmiştir.

Lale Devri özelliklerini gösteren mermer sebil, köşe sebilleri grubuna girer. Dışbükeylerden oluşan dairevi formlu bir plana sahiptir. Planın esası sekiz dilimli olup bunun beş dilimi köşeden dışa taşar. Üzeri kurşun kaplı kubbe ve geniş saçakla örtülüdür. Sebilin etek kısmı pilaştrlarla bölümlenir ve aralarda dışbükey mermer panolar vardır. Silmelerle geçilen mermer tezgâh üzerine oturan tunç bilezikli ve mukarnas başlıklı altı mermer sütun arasında, beş pencere açıklığı oluşturulmuştur. Pencere kemerleri dilimlidir ve kemerler üzerinden itibaren tüm sebil yüzeyi, saçağa kadar kabartma olarak paralel kuşaklar halinde palmet, baklava, kıvrık dal, mukarnas ve çiçeklerden oluşan süsleme bordürleriyle yoğun bir süslemeye sahiptir. Ortada, alt alta ikişer kartuş içinde celi talik hatla yazılmış Şair Vehbi'nin on mısralık tarih kitabesi, paralel kuşaklar halindeki bu süsleme bordürlerini ikiye böler.

Pencere açıklıklarını örten şebekeler, her biri dışbükey olarak dökümle yapılan ve içleri iri yapraklı bitkisel kıvrımlı kompozisyona sahip düşey altı şeritin birbirine kaynakla tutturulmasıyla yapılmıştır. Şebekelerin her biri altı parçadan meydana gelir ve tepelerinde hilalle biten beş dilimli küçük kubbeciklerle taçlandırılmıştır. Bugün, su verme aralıkları mevcut olmayan şebekelerde, her birinde altı dilim olduğundan, altı tane su verme aralığı olması gerekirdi. Sonradan yapılan bu şebekelerde, su verme aralıklarının yeri boş bırakılmıştır. Dilimli kemerler ile şebekelerin kubbecikleri arasında kalan boşlukta, tek satırlık ikişer kartuşlu ve celi talik hatla yazılmış olan kitabe, bir kuşak halinde pencere açıklıklarında devam eder (Sarıdikmen 2001: 125-128).

Kitabenin tarih beyiti:

Bu Ali Paşa sebîlinden gel al iç mâ-i şifâ
Âb-ı pâk-ı Kevser oldu vakf-ı ebnâ-yı sebîl 1146

Sümbül Efendi Camii
avlusunda Hacı Beşir Ağa
Çeşmesi, genel görünüş, 2006.
Fotoğraf: Gül Sarıdikmen

HACI BEŞİR AĞA ÇEŞMESİ

H.1150/M.1737

~

Kocamustafapaşa Sümbül Efendi Camii'nin avlusunda yer alır. Küçük boyutlu, mermer sütun çeşmedir. H.1150/m.1737'de Darüssaade Ağası Hacı Beşir Ağa tarafından yaptırılmıştır.

Başlığı ve gövdesi olan bir sütun biçiminde tasarlanmıştır. Silindir sütun gövdesi üzerinde, tepesi yükseltilmiş, sivrilmiş, basık bir kubbe biçiminde başlığı vardır. Bu bölüm altında gövdede, bitkisel motifli bir kuşak ile altı satırlık kitabe yer alır. Kitabenin altında, dikdörtgen çerçeveyle belirlenmiş ayna taşına, dalgalı kaş kemer ve bir çiçek motifi kabartma olarak işlenmiştir. Önünde tekne olmayan oldukça küçük, sade bir çeşme örneğidir.

Kitabenin tarih beyti:

Dedi Hâtif mevkiin tahsîn idüp târîhini
Nûş kıl bu çeşme-i zibâya gel mâ-i ma'in 1150

Mermer sütun çeşme örneği
olan Hacı Beşir Ağa Çeşmesi

MEHMED EMİN AĞA ÇEŞME VE SEBİLİ

H.1154/M.1740

~

Dolmabahçe Meclis-i Mebusan Caddesi üzerinde, Bezmialem Valide Sultan Camii karşısındadır. Sipahiler Ağası Mehmed Emin Ağa tarafından Elhac Hüseyin Ağa'ya yaptırıldığı sanılır. Rokoko üslubun Türkiye'de ilk kez sistematik ve bütünlüklü olarak kullanıldığı (Arel 1975: 51-52) yapı, 18. yüzyıl yapıları içinde bu özelliğiyle dikkat çeker. Sebil ve çeşme; türbe, hazire, mektep, hamam ve dükkândan meydana gelen küçük bir külliyeye dahil iken bugün külliyenin sadece sebil, çeşme, hazire ve türbesi ayaktadır. 1937 yılında, Dolmabahçe Sarayı'nda toplanan II. Türk Tarih Kongresi vesilesiyle onarım görmüştür. 1957'de, Dolmabahçe Meydanı'nın tamiri, yeni yol yapımı nedeniyle hazire, mektep, dükkân ve sebil yıktırılmış, 1964'te sadece sebil ile müştemilatı yeniden kurulmuştur (Ünsal 1969: 57). 1968'de Vakıflar tarafından bir süre çaycıya kiralanarak kahvehane olarak kullanılmış, sonrasında uzun yıllar boş kalmıştır. Günümüzde Mehmed Emin Ağa Sebili ve Çeşmesi, diğer pek çok çeşme ve sebil gibi işlev dışı bırakılmıştır.

Dolmabahçe Sebili olarak da bilinen Mehmed Emin Ağa Çeşme ve Sebili önünde, sebil tezgahında dizili taslardan su içen insanlarla gündelik yaşamdan bir kesit. 19. yüzyıl sonu-20. yüzyıl başı. Basile Kargopoulo, Sultan II. Abdülhamid Yıldız Fotoğraf Arşivi

▼

Aynı saçağı paylaşan sebil, çeşme, hazire duvarı ve hacet pencereleri mermer kaplıdır. Sebilin saçağı, kasnağı, piramidal külahı ve alemi de mermerdir. Sebilin iki yanında, simetrik bir düzenlemeyle bir çeşme ve hazireye giriş kapısı yer alır.

Sebil cephesi dışbükeydir ve bağlı bulunduğu cepheden yarım yuvarlak olarak dışa taşar. Üzeri ongen bir kasnak üzerinde yükselen piramidal külahla örtülüdür. Sebilin pencere açıklıklarını belirleyen sütunlar, korint sütun başlıklarıyla dikkat çeker. Sütunlar arasında, S ve C kıvrımlı kemerlerle oluşan beş pencere açıklığı, dışbükey formda lokmalı demir parmaklıklarla örtülüdür. Sebilin oldukça dekoratif ve süslü rokoko karakteri, kemerli açıklıklardaki basit parmaklıklarla uyum göstermemektedir. 19. yüzyıl sonları-20. yüzyıl başlarında henüz faalken çekilmiş fotoğraflarında ve resimlerinde, kemer alınlıklarında günümüzde olmayan oymalı bitkisel motifli şebekeler ve altta kare açıklıklı lokmalı parmaklıkların alt kısımlarında da dikdörtgen açıklıklı yedişer su verme aralığı görülür. Günümüzde, altlarında su verme aralıkları olmayan parmaklıklar vardır (Sarıdikmen 2001: 160-161; 2007: 553-556). Korint başlıklar üzerinde devam eden pilastrlar arasındaki dışbükey mermer panolara, birer rokoko kartuş işlenmiştir. Kemerler üzerinde, Şair Şakir'in kitabesi altlı üstlü ikişer beyit olmak üzere bütün sebil cephesini kuşatır.

Sebilin Şair Şakir tarafından yazılan kitabesinin tarih beyiti:

*Sebîl-i pâki bu sûde binâ eden ya Rabü
Bi-hakk-ı câh-ı Muhammed Emîn ola me'cur 1154*

Sebilin sağındaki çeşme ile solundaki kapı açıklığının kemer ve süsleme özellikleri aynıdır. İki taraftan ince dekoratif sütunlarla sınırlandırılırlar. Dikdörtgen cephede dekoratif sütunlar üzerinde C'lerden oluşan kemerlerin köşeliklerinde, kabartma rokoko kartuş, akantus ve bitkisel süslemeler vardır. Kemerler üzerinde tek satırlık bir yazı şeridi ve üzerinde iç içe kare ve daireden oluşan iki renkli kare bir levhanın üst kısmında kitabe panosu yer alır. Birbirinin aynı olan iki düzenlemede, kemer içleri bir tarafta dolu -çeşme-, bir tarafta boş -kapı- olarak ele alınmıştır (Sarıdikmen 2001: 158-159). Çeşme olan nişin içindeki ayna taşına rokoko kartuşlar, madalyon, C ve akantus motifli kabartmalar işlenmiştir. Çeşmenin önünde teknesi vardır.

Çeşmenin Şakir tarafından yazılan kitabesinin tarih beyiti:

*Şâkir okur teşnegân su gibi tarihini
Çeşme-i ayn-ül-hayat yapdı Mehemmed Emîn. 1154*

Rokoko üslubun Türkiye'de ilk kez sistematik ve bütünlüklü olarak kullanıldığı Mehmed Emin Ağa Çeşme ve Sebili, 1968'de Vakıflar tarafından bir süre kiralanarak kahvehane olarak kullanılmış, sonrasında uzun yıllar boş kalmıştır.

Sultanahmet'te su terazisi önündeki
Beşir Ağa Çeşmesi genel görünüş,
2012. Fotoğraf: Gül Sarıdikmen

BEŞİR AĞA ÇEŞMESİ

H.1157/M.1744

~

Sultanahmet Divanyolu Caddesi'nde, su terazisinin önünde bulunan Beşir Ağa Çeşmesi'nin önünde tek basamak gibi duran mermer setli küçük teknesi yer alır.

Sultanahmet Divanyolu Caddesi'nde, su terazisinin önünde yer alır. Darüssaade Ağası Hacı Beşir Ağa tarafından h.1157/m.1744'te yaptırılmıştır. Tek cepheli mermer çeşmenin büyük, dörtgen bir haznesi vardır ve üzerini geniş saçaklı kiremit kaplı çatı örter.

Geniş saçak altındaki dikdörtgen cephe, iki uçtan paye ve sütunla belirlenir ve sütun başlığı gibi devam eden kornişle saçağa geçilir. Sütunlar arasında içbükey geçilen dikdörtgen bölümde, üstte iki sütunlu altışar satırlık kitabe altına, dekoratif S kıvrımlara oturan yuvarlak kemer kabartma süsleme olarak işlenmiştir. Kemer düzenlemesi altında, iki yanda dekoratif başlıklı iki sütunçeyle belirlenen ayna taşında, uçları kıvrımlı çerçeveli kabartmalar vardır. Önünde, tek basamak gibi duran mermer setli küçük teknesi yer alır.

Kitabenin tarih beyiti:

Huruf-i bî-nukatla Rahmiyâ tarihin işrab it
Suvardı dehri hakka hayr-i câriyle Beşir Ağa 1157

Beşir Ağa Çeşmesi'nin kitabesi

BEŞİR AĞA SEBİLİ VE ÇEŞMESİ

H.1158/M.1745

~

Beşir Ağa Sebili, Soğukçeşme Hükümet Konağı Sokağı ile Alay Köşkü Caddesi'nin birleştiği noktada yer alan Beşir Ağa Külliyesi'nin Alemdar Caddesi tarafında, köşededir. H.1158/m. 1745'te Çelebi Mustafa Ağa'nın mimarbaşılığı zamanında, Sultan I. Mahmud'un kızlarağası Hacı Beşir Ağa tarafından yaptırılmıştır. (Kumbaracılar 1938: 39). Sebil ve çeşme; kütüphane, sıbyan mektebi, medrese, tekke, cami ve çeşmeden oluşan Hacı Beşir Ağa Külliyesi bütünlüğündedir. Aynı saçağı paylaşan sebil ve çeşme, barok üsluptadır. Sebil, köşe sebilleri grubuna girer, kapısının yanındaki çeşme ise duvar çeşmesi görünümümdedir. Sebil, günümüzde büfe olarak kullanılmaktadır.

▲

Beşir Ağa Sebili'nin kitabe kuşakları, sütun başlıkları, kemer ve şebeke süslemeleri

◄

Soğukçeşme'de Beşir Ağa Sebili'nden görünüş. Adell Armatür Arşivi

Barok üsluptaki sebil, köşe sebilidir ve yarım yuvarlak bir podyum üzerinde bağlı bulunduğu köşeden dışa taşan bir plana sahiptir. İç kısmı dörtgen planlı olup, beş pencerenin olduğu cephe bölümü içbükeyli yarım yuvarlak olarak dışarıya taşar. Cephesi mermer panolarla kaplıdır. Kurşun kaplı konik çatı altında geniş ahşap saçağı vardır ve saçak çeşmeye kadar uzanır. Pilastrlarla bölümlenen etek kısmındaki mermer panolar içbükeydir. Etek üzerinde, tunç bilezikli kabartma akantus yaprağı ve istiridye kabuğu motifleriyle süslü kompozit başlıklı altı mermer sütun ile cephe beşe bölünerek aralarda beş pencere açıklığı oluşur. Pencere kemerleri basık dalgalı formdadır. Sütun başlıkları üzerinden saçağa kadar uzanan pilastrlar ve iki sıra silme kuşağı arasındaki içbükey panolarda dörder satır halinde şair Rahmi Mustafa Kırımi'ye ait beş kıtadan meydana gelen manzum kitabe yer alır.

Pencere açıklıkları, cephenin içbükeyliliğine uygun olarak içbükey tasarımda demir şebekelerle örtülüdür. Yapı, genel ifadesi ile barok-rokoko üslup özellikleri taşımasına rağmen, pencerelerdeki şebekelerin kompozisyonu klasik dönem şebekelerinde karşımıza çıkan geometrik kompozisyondadır. Pencere kemerinin hareketliliğine uygun olarak şekillenen şebeke, sekizgenler ve eşkenar dörtgenlerden/baklavalardan meydana gelen geometrik bir kompozisyon şemasına sahiptir. Küresel lokmalarla birbirine bağlanan kısa demir şeritler sekizgen motifleri meydana getirir ve aralarda küçük baklava motifleri oluşur. Şebekelerde dekoratif birer sütun ve C'lerden oluşan kemerli beşer su verme aralığı vardır. Şebeke kompozisyonuna klasik dönem özellikleri hâkim olsa da su verme aralıklarında barok-rokoko etkiler görülür (Sarıdikmen 2001: 76-77).

Sebil kitabesinin tarih beyti:

*Atâşı âleme târihin işrâb eyledi Rahmî
Gel iç ma-ı hayât-ı dil-küşâyı fî sebilillâh 1158*

Etekten saçağa kadar içbükey olarak gelişen sebilin iki yanında, yuvarlak kemerli ve tamamen mermer kaplı içbükey birer niş yer alır. Çeşme ile sebil arasında, sebilin yuvarlak kemerli kapısı üzerinde küçük dikdörtgen bir pencere açıklığı vardır.

Hükümet Konağı Sokağı yönünde kalan Hacı Beşir Ağa Çeşmesi, h. 1157/m. 1744 tarihlidir. İki pilastrla belirlenen duvar çeşmesinin, üstteki iki sıra korniş arasında dikdörtgen dört satırlık dikdörtgen kitabe kuşağı vardır. Kitabe, şair Rahmi Mustafa Efendi'nindir (Tanışık 1943: I. 178). Ayna taşı, dikdörtgen mermer çerçeveyle belirlenir. Önündeki teknesi günümüze ulaşamayan çeşme, sade bir tasarıma sahiptir.

Çeşmenin tarih beyti:

*Rahmiyâ berceşte bir târih-i tâm işter ana
Gel gel iç bu çeşme-i dil-cûdan Allah aşkına 1157*

SEYYİD HASAN PAŞA SEBİLİ VE ÇEŞMESİ

H.1158/M.1745

~

Vezneciler'de, İstanbul Üniversitesi Fen ve Edebiyat Fakültesi binalarının yan tarafında, Kimyager Derviş Paşa Sokağı'ndadır. Sultan I. Mahmud'un Sadrazamı Hasan Paşa tarafından h.1158/m.1745'te, Mustafa Çelebi'nin mimarbaşılığı zamanında yaptırılmıştır (Kumbaracılar 1938: 41). Vezneciler'de, medrese, sıbyan mektebi, çeşme, sebil ve dükkânlardan oluşan Seyyid Hasan Paşa Külliyesi'nin ön cephesinde, medresenin alt katında yer alan sebil, medreseye bitişik bir cephe sebilidir. Sebilin yanında medreseye giriş kapısı, çeşme ve yanında dükkânlar sıralanır.

Poligonal bir podyum üzerinde yer alan sebil, içbükey-dışbükeylerle hareketlendirilmiş yarım yuvarlak bir plana sahiptir. İçte ise dikdörtgen bir mekân mevcuttur. Sebil, barok-rokoko üslubun tipik bir örneğidir ve dışa taşan cephenin iki yanındaki nişlerle ışık-gölge etkisi oluşturulmuştur. Sebilin üzerinde, kurşun kaplı ve cephenin hareketine uygun kıvrımları olan kalemişi süslemeli geniş bir saçak vardır ve bu saçak, sebilin hemen bitişiğindeki medrese kapısı ile çeşmeye de uzanmaktadır.

▲

Seyyid Hasan Paşa Çeşmesi'nin kitabe ve süslemeleri

Seyyid Hasan Paşa Sebili ve Çeşmesi genel görünüş, 2012. Fotoğraf: Gül Sarıdikmen

Sebilin cephesi, pilaŝtrlar ve sütunlarla düşey, profilli silmelerle yatay eksende bölümlenir ve iki yanındaki içbükey alanlarda da silmeler kesintisiz devam eder. Pilaŝtrlarla bölümlenen yarım yuvarlak etek kısmında, içbükey-dışbükeyli bir hareketlilik vardır. Bu içbükey-dışbükeylilik, pencerelerdeki şebekeler de dahil olmak üzere, bütün cephe boyunca düşey eksende saçağa kadar devam eder. Silmelerle geçilen tezgâhta, tunç bilezikli korint başlıklı altı mermer sütun arasında, C'lerden oluşan dalgalı kemerli beş pencere açıklığı oluşturulmuştur. Sütun başlıkları üzerinde, kare kesitli pilaŝtrlar yükselir ve cepheyi yatay kuşaklara ayıran profilli silmeler arasında ortadaki geniş kuşakların dışbükey bölümlerinde dörder satır halinde yirmi mısralık kitabe yer alır. Kitabe kuşağının olduğu bölümdeki pilaŝtraların yüzeyinde salbekli şemse biçiminde birer madalyon vardır. Sebilin kitabesini Şair Nimet söylemiş ve Hattat Hocazade Seyyid Ahmed yazmıştır (Yavaş 1994: VI. 544). Pencereleri, cephenin hareketliliğine, pencere açıklığı ile kemer kıvrımlarına göre biçimlenen demir şebekeler örter. Döküm şebekelerin iki yanı içbükey, orta kısmı ise dışbükey olarak sebil cephesindeki harekete uygun bir dalgalanma meydana getirir. Şebeke kompozisyonu oldukça girift ve rokoko karakterli ŝtilize bitkisel kıvrım dallardan oluşur ve orta kısmında iki C motifi arasında küçük oval bir madalyon ile iki ucunda palmet motifleri yer alır. Şebekelerde dekoratif sütunçeler ve dalgalı kemer siŝtemiyle oluşturulan beşer su verme aralığı vardır.

Sebil kitabesinin tarih beyiti:

Âbı geldikte dedim tebşir edüb târîhini
Mâ Hasan Pâşâ sebilinden gel iç âb-ı hayât 1158

Çeşme, rokoko üsluptadır. İki yanda setlere oturan dekoratif sütunlar ve üzerinde devam eden pilaŝtrlarla sınırlandırılır. İçbükey tasarımda, iki küçük sütun üzerinde, S, C kıvrımlı kemer nişi oluşturulmuş ve kemer içine dekoratif bir iŝtiridye kabuğu motifi ile ayna taşına kabartma süslemeler işlenmiştir. Kemer üzerinde kitabeler ve üŝtte kalemişi süslemeli saçak devam eder. Çeşmenin önünde mermer teknesi vardır.

Çeşme kitabesi:

Maşallah 1158
Sâhib-ül hayrat vel-hasenat
Sadr-ı azam Es-Seyyid Hasan Paşa

NURUOSMANİYE SEBİLİ

H.1169/M.1755

~

Nuruosmaniye Camii'nin Kapalıçarşı tarafındaki kapısının solundadır. Sultan III. Osman tarafından h.1169/m.1755'te yaptırılmıştır. Sebil; cami, medrese, imaret, türbe, kütüphane, çeşme ve dükkânlardan oluşan Nuruosmaniye Külliyesi içindedir, sağında ise rokoko üsluptaki Sultan III. Osman Çeşmesi yer alır. 2003'te kapsamlı bir onarım geçirmiştir. Günümüzde hediyellik eşya satış yeri olarak kullanılmaktadır.

Sultan III. Osman tarafından h.1169/m.1755'te yaptırılan ve bir podyum üzerinde yer alan sebil; planı, mimarisi ve süslemeleriyle barok-rokoko üsluptadır.

◄

Nuruosmaniye Sebili, 1903

Bir podyum üzerinde yer alan sebil; planı, mimarisi ve süslemeleriyle barok-rokoko üsluptadır. Dikdörtgen planlı yapı, bağlı bulunduğu duvardan yarım yuvarlak olarak dışa taşar. Üzeri kurşun kaplı bir kubbeyle örtülüdür. Sebilin yarım daire planlı cephesinde üç pencere açıklığı bulunur. Mermer kaplı cephesinde pilastrlar ve sütunlar ile düşey bölümlenme sağlanır. Etek bölümünde yivli pilastrlar arasına dışbükey mermer panolar yerleştirilerek yüzeylerine birer kartuş işlenmiştir. Silmelerle geçilen tezgâh üzerinde, tunç bilezikli ve dekoratif başlıklı dört mermer sütun arasında üç pencere açıklığı vardır. Pencere kemerleri, kilit noktasındaki kabartma akantus motifinin iki yanında C, S kıvrımlarının birleşmesinden oluşur. Kemerlerin yüzeyi sütun başlıklarına kadar kabartma bitkisel motiflerle süslüdür. Sebil cephesi, kemerlerin üzerinden üst örtüye kadar kornişlerle bölünür. Adeta heykel gibi işlenen ve yapısal

çoğalmaları olan pilaśtrlar arasında yer alan panolarda, dörder
satır halinde kitabe yer alır. Kitabe panolarının alt kısmındaki
panolara, arma gibi heykelsi nitelikte dekoratif kabartma roko-
ko kartuşlar yerleştirilmiştir.

Sebilin pencere açıklıklarında, rokoko üslupta tunç
şebekeler vardır. Döküm şebekeler, sebile uygun olarak dışbü-
key tasarlanmış ve çerçevesi ile pencere açıklığı kemer formuna
uygun olarak biçimlendirilmiştir. Kemerin kıvrımlarına göre
biçimlenen alınlıkta rokokonun bol kıvrımlı dallarından mey-
dana gelen bitkisel süsleme hâkimdir. Şebeke kompozisyonu-
nun esasını oluşturan S, C motifleri, dışa taşkın ovaller, barok
palmetler ve bitkisel motiflerin değişik biçimlerde birbirlerinin
içinden geçirilmesiyle oldukça girift ve değişik bir kompozis-
yon meydana getirilmiştir (Sarıdikmen 2001: 183-187). Alt kı-
sımda, sütun ve kemer sistemiyle bölümlenen yedişer su verme
aralığı vardır.

*Nuruosmaniye Sebili pencere
açıklığı, şebeke, kemer ve
üstte, ortada rokoko kartuş*

Kitabenin tarih beyiti:

*Böyle inşad etdi hakem bendesi tarihini
Eyledi sultan Osman su gibi cûdın sebil 1169*

32

LALELİ (III. MUSTAFA) SEBİLİ

H.1177/M.1763

~

Ordu Caddesi üzerinde, Laleli Camii'nin giriş kapısı ile III. Mustafa Türbesi'nin arasında yer alır. Laleli Sebili; cami, imaret, türbe, muvakkithane, medrese, imam ve müezzin konutları, han, çeşme ve dükkânlardan meydana gelen Laleli Külliyesi'ne dahildir. Sultan III. Mustafa tarafından h.1177/m.1763'te yaptırılmıştır. Mimarı Mehmed Tahir Ağa'dır. Sebilde tarih kitabesi yoktur. 1957'de Ordu Caddesi genişletilirken caminin set duvarı yıkılarak geriye çekilmiş, bir süre sonra duvar Vakıflar tarafından yıktırılarak caminin bodrumu ve ön cephesi, çarşı ve dükkânlar haline getirilmiştir (Ünsal 1969: 27; Şerifoğlu 1995: 71). Bu sırada bir basamak üzerine oturan sebile yeni kademeler ilave edilmiş ve böylece sebil yol seviyesinin çok üzerinde kalmıştır. Yıllardır, büfe, ofis gibi işlevlerde kullanılmaktadır.

Dışbükey yuvarlak planlı sebil, bir podyum üzerinde yer alır. Barok-rokoko üslup özelliği gösteren yapının bütün cephesi ve saçağı mermerdir. Üzeri kurşun kaplı bir kubbe, kabartma rokoko kartuş ve madalyonlarla bezeli geniş saçakla örtülüdür. Saçağın çok süslü olmasına karşın, cephe daha sadedir. Cephedeki bu yalınlığı oldukça dekoratif olan pencere şebekeleri zenginleştirir. Pilastrlarla bölümlenen sebil eteği süslemesizdir. Silmelerle geçilen tezgâh üzerindeki mermer sütunlar ve üzerinde saçağa kadar kademeli olarak uzanan yivli pilastrlar ile cephede düşey bölümlenme sağlanır. Sebilde beş

▲

Laleli Külliyesi'nde caminin avlu giriş kapısı yanında Laleli (III. Mustafa) Sebili genel görünüş, 20. yüzyıl başı. Ömer Faruk Şerifoğlu Arşivi

pencere açıklığı bulunur. Pencere kemerleri, S ve C kıvrımlarından oluşur ve kilit noktalarına dekoratif birer deniz tarağı biçimli tepelik yerleştirilmiştir. Pilaştrlar ve kornişlerle belirlenen mermer panolarda besmele ve ayetler yazılıdır.

▶

Arkasında Sultan III Mustafa Türbesi ile Laleli (III. Mustafa) Sebili genel görünüş, 2006. Fotoğraf: Gül Sarıdikmen

▲

Sebilin saçağı ve kitabesi

Pencere açıklıkları, çerçeveleri kemer formuna uygun olarak biçimlendirilmiş demir şebekelerle örtülüdür. Döküm şebekeler, sebilin yuvarlaklığına uygun olarak dışbükeydir. Şebekelerin kemer kıvrımlarına uygun olarak biçimlenen alınlığında, merkezde karşılıklı duran C motifleri arasında, kenarları tırtıllı bir oval madalyon ve iki ucunda birer palmet vardır. İki yanda, kemer kıvrımlarına uygun olarak gelişen kıvrık dallarla dekore edilmiştir. Şebeke gövdesi, düşey eksende çubuklarla altıya bölünerek dekoratif C motifleri bir aks üzerinde karşılıklı olarak sıralanır. Çubuklar üzerinde, dönüşümlü olarak C'lerden oluşan yuvarlaklar içinde yer alan etrafı dilimli dışa taşkın oval ve yuvarlak formlar vardır. İki uçta tepelikler bulunur ve bütün motifler stilize dallarla birbirine bağlanır. Şebekeler, dekoratif sütun ve C'lerden oluşan kemer sistemiyle birbirine bağlanan altışar su verme aralığına sahiptir (Sarıdikmen 2001: 143-146).

RECAİ MEHMED EFENDİ SEBİLİ VE ÇEŞMESİ
H.1189/M.1775

~

Vefa'da Koğacılar Caddesi üzerinde, Recai Mehmed Efendi Sıbyan Mektebi'nin altındadır. Sadrazam kethüdası, tersane emini, arpa emini, reisülküttab, rikaptar çavuşbaşı, defterdar şıkkı evvel ve nişancı olarak görev almış Recai Efendi tarafından h.1189/m.1775'te, Mehmed Tahir Ağa'nın mimarbaşılığı zamanında yaptırılmıştır (Kumbaracılar 1938: 45).

İki katlı olan Recai Mehmed Efendi Sıbyan Mektebi'nin alt katının ön cephesindeki sebil, cephe sebilleri grubuna girer. Cephesi mermer kaplı olan alt katın tam ortasında sebil yer alır. Sebilin sağında, mektebin iki yanında çeşmecik olan giriş kapısı, solunda ise rokoko üslupta çeşmeler vardır. Duvar örgüsü taş ve tuğla olan mektepte klasik dönem özellikleri görülürken mermer kaplı sebil ve çeşmelerde ise rokoko üslup özellikleri hâkimdir. Cephe boyunca üstte kitabeler devam eder. Çeşmelerin üzerinde ayetler, sebilde sebilin kitabesi, kapı üstünde de mektebin kitabesi vardır. Kitabeler, hattat Yesari Mahmud Efendi tarafından yazılmıştır (Kuban 1994: VI. 311).

▲

Çeşmeden bir görünüm

Recai Mehmed Efendi Sıbyan Mektebi ve alt katındaki Recai Mehmed Efendi Sebili ve Çeşmesi'nden genel görünüş, 2006. Fotoğraf: Gül Sarıdikmen

▼

Sebilin iki tarafına simetrik olarak önlerinde kurna olan dekoratif birer çeşmecik yerleştirilmiştir. Bu iki çeşmecikten sağdakinin yanında kapı, soldakinin yanında ise büyük bir çeşme yer alır. Büyük çeşme, iki yandan sütunlarla sınırlandırılır ve sütun başlıkları üzerinde pilastrlar devam eder. Kabartma süslemeli pilastrlar arasında, ayetler yazılı olan kitabeler vardır. Kemerli çeşme nişinin iç kısmında, üst bölüm kabartma süslemelidir. Önünde teknesi olan çeşmenin iki yanında önlerinde kurna olan rokoko süslemeli birer çeşmecik vardır.

Bağlı bulunduğu cepheden yarım yuvarlak olarak dışa taşan sebilin cephesi, düşey eksende üçe bölünür ve üç pencere açıklığı vardır. Pilastrlarla bölümlenen sebil eteğinde süsleme yoktur. Tezgâh üzerine oturan, tunç bilezikli köşelerinde istiridye kabuğu motifi olan sütun başlıklarına sahip dört sütun arasındaki pencere kemerleri dalgalıdır ve C motiflerinden meydana gelir. Kemerlerin üst kısmındaki kabartma süsleme motifleri arasında C'ler, istiridye kabuk-

Recai Mehmed Efendi Sebili ve sağ tarafındaki çeşmecik ve büyük çeşme, 2006. Fotoğraf: Gül Sarıdikmen

ları ve akantuslar bulunmaktadır. Sütun başlıkları üzerinde, sebilin saçak kornişine kadar yüzeyi kartuşlarla bezeli pilastrlar arasındaki mermer panolarda, Recai Mehmed Efendi'nin dostu Şakir tarafından yazılmış (Şerifoğlu 1995: 74) kitabe yer alır.

Sebilin pencere açıklıklarını, kemer formuna uygun bir çerçeveye sahip bronz döküm şebekeler örter. Rokoko üsluptaki şebekelerde, yatay kuşaklardan oluşan kompozisyonda; kartuşlar, ovaller, barok palmetler, uçları toplu C'ler, dolgulu dilimli stilize çiçeklerden oluşan dekoratif bir düzenleme görülür ve altta dekoratif sütun ve kemer sistemiyle bölümlenen dörder su verme aralığı vardır.

Kitabenin tarih beyiti:

Bu târîh-i sebilde eyleyüp suyu başından sayd
Dedi atşâne sahib-i hayr olan âbundan el aç, iç 1189

Mehmed Tahir Ağa'nın mimarbaşılığı zamanında yapılan Recai Mehmed Efendi Sebili ve Çeşmesi'ndeki kitabe, Recai Mehmed Efendi'nin dostu Şakir tarafından yazılmıştır.

34

HAMİDİYE (I. ABDÜLHAMİD HAN) SEBİLİ VE ÇEŞMELERİ

H.1191/M.1777

~

Alemdar Caddesi'nde, Zeynep Sultan Camii'nin avlu kapısının yanındadır. Sultan I. Abdülhamid tarafından h.1191/m.1777'de, Tahir Ağa'nın mimarbaşılığı zamanında yaptırılmıştır (Kumbaracılar 1938: 35). İlk yapıldığında imaret, sıbyan mektebi, medrese, mescit, türbe, hazire, kütüphane, sebil ve çeşmelerden meydana gelen Hamidiye Külliyesi'ne dahil olan Hamidiye Sebili ve Çeşmeleri sıbyan mektebinin Sirkeci'ye bakan köşesinde yer alıyordu. 1912-1915 yıllarında, Şeyhülislam Hayri Efendi'nin Evkaf nazırlığı zamanında, sıbyan mektebi ve imaret, 4. Vakıf Han'ın yapımı için yıktırılmış; sebil ve çeşmeler ise Zeynep Sultan Camii'nin avlu yanına taşınarak yeniden kurulmuştur. 1953 yılında Anıtlar Derneği tarafından tamir ettirilmiştir (Şerifoğlu 1995: 76). Barok-rokoko üslup özellikleri taşıyan sebilin iki yanındaki çeşmeler dışında, içinde de çeşme vardır. Onarımlar sonucunda iyi durumda olan sebil, uzun yıllardır büfe olarak kullanılmaktadır.

▲

Zeynep Sultan Camii önünde yeni yerinde yıllardır büfe olarak kullanılan Hamidiye (I. Abdülhamid Han) Sebili ve Çeşmeleri genel görünüş, 2006. Fotoğraf: Gül Sarıdikmen

Günümüzde büfe olarak kullanılan sebilin kitabe metni, Hayri Efendi'ye, hattı ise Yesarizade Mehmed Esad Efendi'ye aittir.

Eski yerindeki Hamidiye (I. Abdülhamid Han)
Sebili ve Çeşmeleri. 19. yüzyıl sonu, genel görünüş.
Sultan II. Abdülhamid Yıldız Fotoğraf Arşivi

Hamidiye (I. Abdülhamid Han)
Sebili ve Çeşmeleri genel görünüş

Hamidiye (I. Abdülhamid Han)
Sebili ve Çeşmeleri'nden Zeynep
Sultan Camii'nin avlu kapısının
yanındaki çeşmenin süslemeleri,
2013. Fotoğraf: Gül Sarıdikmen

Köşe sebilleri grubuna giren ve bir podyum üzerinde yer alan sebil yuvarlak planlıdır ve cephe içbükey-dışbükeylerle hareketlendirilmiştir. Cephesi mermer kaplı olan yapının üzerini yüksek kasnaklı, kurşun kaplı bir kubbe ve çeşmelere kadar uzanan geniş bir saçak örter. Sebilin içbükey-dışbükeylerle hareketlendirilmiş etek bölümü pilastrlarla bölümlenir ve yüzeyine kartuşlar işlenmiştir. Tezgâh üzerine oturan altı adet uzun ince üçlü mermer sütun demeti arasında, beş pencere açıklığı oluşur. Pencere kemerleri, rokoko karakterinde dalgalıdır ve kilit noktalarında dekoratif istiridye kabuğu motifleri yer alır. Sütun başlıkları üzerinde kademeli olarak perspektif veren pilastrlar saçak altına kadar devam eder. Cephede kabartma olarak rokoko kartuşlar, madalyonlar, akantuslara yer verilmiştir. Pencere üstlerindeki her panoda, kartuş içinde dörder satır halinde kitabe kuşağı ve aralardaki pilastrlarda yüksek kabartma akantus ve rokoko kartuşlar bulunur. Kitabe metni Hayri Efendi'ye, hattı ise Yesarizade Mehmed Esad Efendi'ye aittir.

Pencere açıklıkları döküm şebekelerle örtülüdür. Pencere açıklığı ve kemerine uygun kıvrımlı çerçeveye sahip olan şebekeler dışbükeydir. Şebeke gövdesi, düşey eksende demir çubuklarla yediye bölünür ve bölmelerde, dönüşümlü olarak C motifinin karşılıklı yerleştirilmesi ve diğer sırada ise iç içe çakıştırılmasıyla ortaya çıkan iki ayrı motif alternatif olarak sıralanır. Su verme aralıkları, dekoratif sütun ve C'lerden oluşan kemer sisteminden meydana gelir. Bu dekoratif şebekeler, Kabataş'taki Koca Yusuf Paşa Sebili'nin pencere şebekelerine benzer kompozisyona sahiptir.

Kitabenin tarih beyiti:

Yazdı târîhini anın getürdi lâli
Kevserin aynı değil mi bu sebîl-i zibâ 1191

Sebilin iki yanındaki rokoko üslubundaki mermer çeşmeler, iki uçtan sütunlarla belirlenir. Sebilin geniş saçağı çeşmelerde de devam eder. Saçak altında kornişler arasındaki kuşakta, dört satırlık kitabe vardır. Lütfi'nin sekiz beyitlik tarih manzumesinin ilk dört beyiti sağdaki çeşmede, son dört beyiti soldaki çeşmededir. Korniş altında, iki dekoratif sütunla belirlenen alanda, S, C kıvrımları, akantus yapraklı rokoko kemerler, nişte derin perspektif oluşturacak biçimde sıralanır. Niş içinde kalan ayna taşı da benzer şekilde oldukça süslüdür. Önünde tekne ve setleri vardır.

Çeşme kitabesinin tarih beyiti:

Rûh-i Hüseyni şâd ile mâ-i safayı ver dile 1191
Zemzem akıtdı cûdiyle Şah-ı cihan Abdülhamid 1191

ESMA SULTAN MEYDAN ÇEŞMESİ

H.1193/M.1779

~

Kadırga Meydan Parkı'ndadır. Dört yüzlü, namazgâhlı meydan çeşmesidir. Sultan III. Ahmed'in kızı Esma Sultan tarafından h.1193/m.1779'da yaptırılmıştır. Son olarak 2008'de restore edilmiştir, iyi durumdadır.

Üstü namazgâh olarak tasarlanmış olan Esma Sultan Meydan Çeşmesi genel görünüş, 2012. Fotoğraf: Gül Sarıdikmen

Köşeleri pahlanmış dörtgen planlı yapının üzeri düzdür ve kuzey cephesinde üzerindeki namazgâh alanına çıkış sağlayan yirmi basamaklı merdiveni vardır. Düz mermer levhalarla kaplı cephelerden doğu ve batı cephelerde, düz silmelerle çerçevelenen dikdörtgen orta bölümde, altışar satırlık kitabe kuşağı altında, kilit taşları kabartma deniz tarağı gibi akantus motifli dalgalı kemerli niş içinde, rokay, deniz kabuğu, akantus, S ve C motifleriyle süslü ayna taşı yer alır. Önlerinde mermer tekne vardır. Güney cephesi düz mermer levhalarla kaplı olup buraya da tekne yerleştirilmiştir. Pahlı dar köşeler, silmeyle belirlenen yuvarlak kemerli nişle hareketlendirilmiştir. Merdivenin olduğu köşelerdeki iki nişte, dekoratif birer kurna vardır.

Kitabelerdeki mısralar, şair Tevfik Efendi'nin, yazılar ise hattat Mehmed Şevki Efendi'nindir.

Kitabenin tarih beyiti:

Dedi Tevfik âbın nûş edip atşâna târîhin
Bu zîbâ çeşmeden iç besmeleyle âfiyet bâdâ 1193

İkinci kitabenin tarih beyiti:

Dedi itmâmına Tevfik-i duâ-gû târîh
Dil-küşâ kıldı bu nev çeşmeyi Esmâ Sultân 1193

> Kadırga'da, Meydan Parkı'nda yer alan namazgâhlı meydan çeşmesi, son olarak 2008'de restore edilmiştir ve iyi durumdadır.

▲

Üstteki namazgâh alanına çıkış sağlayan merdiven ve köşedeki dekoratif niş ve kurna

CANFEDA KADIN VE
HAZİNEDAR ŞEVKİNİHAL USTA ÇEŞMESİ

H.1195/M.1780

~

Gedikpaşa Camii'nin karşısında yer alan çeşmede, iki sıra dalgalı bordür ve köşelerde birer çiçekle belirlenen alan içine küçük bir antikçağ Roma palmeti kabartma olarak işlenmiştir.

Gedikpaşa Camii'nin karşısında yer alır. Tanışık'ın, *İstanbul Çeşmeleri* kitabındaki kitabeyle "Sâhibetü'l-hayrât ve'l-hasenât merhûme Kethüdâ/Cânfedâ Kadın aleyhâ'r-rahmetü ve'l-gufrân 1195" olarak h.1195/m.1780'de (Tanışık 1943: I. 206) Canfeda Kadın tarafından yaptırıldığını belirttiği çeşmede, harap durumdayken h.1264/m.1848'te Hazinedar Şevkinihal Usta tarafından tamir ettirildiğini belirten bir kitabe daha vardır.

Dörtgen hazneli çeşmenin ön cephesi, ampir üslupta kabartma süslemeli mermer levhalarla kaplıdır. İki yandan başlıklı pilastrlarla belirlenen cephede, saçak altındaki üç dikdörtgen mermer panoda, iki yanda kabartma olarak birer uçlarından asılmış ve sarkan perde/kumaş motifi ve ortada etrafı güneş gibi ışınsal oval madalyonda Sultan Abdülmecid'in tuğrası vardır. Tuğranın alt kısmındaki dörtgen panoda, kartuşlar içinde yedi satırlık kitabe yazılıdır ve dört köşesine birer ay yıldız kabartması işlenmiştir. Kitabenin iki yanındaki mermer panolarda simetrik düzenleme ile akantus yaprağı ve üstteki perde/kumaş motifinin benzeri görülür. Altındaki panolarda ise simetrik olarak iki uçta, ortalarında güller olan ve oval biçimde gelişen ışınsal motifler ile birer çiçek kabartması yer alır. Kitabenin alt kısmında, basık kemerli çeşme nişi içindeki ayna taşı, korniş altında dikdörtgen çerçeveyle belirlenir. İki sıra dalgalı bordür ve köşelerde birer çiçekle belirlenen alan içine küçük bir ilkçağ Roma palmeti kabartma olarak işlenmiştir. Önündeki teknesinin yüzeyinde de üstteki perde/kumaş motifi ve iki tarafında birer çiçek kabartması vardır. Nişin iki yan tarafında, cepheye küçük birer çeşme aynası daha yerleştirilmiştir. Ayna taşlarının düzeni niş içindekine benzer, ancak bunlar daha küçüktür ve önlerinde dekoratif birer kurna vardır. Kurnalar, dikdörtgen ve dilimli olup, birer ayağa oturmaktadır.

Canfeda Kadın ve Hazinedar Şevkinihal Çeşmesi genel görünüş, 2012. Fotoğraf: Gül Sarıdikmen

▼

Şevkinihal Usta tamir kitabesinin tarih beyiti:

Selâmî geldi bir hâtif dedi cevher gibi târîh
Safâ-yâb ber bakâ ola sarayda Haznedâr Usta 1264

37
EMİRGÂN (I. ABDÜLHAMİD) MEYDAN ÇEŞMESİ
H.1197/M.1782

~

Emirgân Çınaraltı Meydanı'nda yer alır. Sultan I. Abdülhamid tarafından h.1197/m.1782'de yaptırılmıştır. Emirgân Meydan Çeşmesi, büyük bir cami, hamam ve dükkânlarla birlikte inşa ettirilmiştir. Çeşme ve yan tarafındaki Ağa Hüseyin Paşa'nın 1844'te yaptırdığı Emirgân Muvakkithanesi, 1996'da Sarıyer Belediyesi tarafından restore edilmiştir.

◄
Çınaraltı Meydanı'nda Emirgân
(I. Abdülhamid) Meydan Çeşmesi
genel görünüş, 2005.
Fotoğraf: Gül Sarıdikmen

Boğaziçi'nin en güzel su yapılarından olan, çay bahçeleriyle dolu Çınaraltı Meydanı'nda büyük çınar ağaçlarının altında, sakin, huzur verici atmosferi ve pitoresk görünümüyle bir çok sanatçıya ilham kaynağı olan görkemli Emirgân Meydan Çeşmesi, farklı tarihlerde yerli ve yabancı çok sayıda ressam tarafından resmedilmiştir (Sarıdikmen 2006: 163).

Emirgân (I. Abdülhamid)
Meydan Çeşmesi'nde kartuş içinde
Sultan I. Abdülhamid'in tuğrası,
çiçekler ve inşa tarihi, 2005.
Fotoğraf: Gül Sarıdikmen

Türk rokoko üslubundaki abidevi mermer çeşme, çokgen planlı ve üzeri kurşun kaplı geniş bir saçak ile yüksek çokgen kasnağa oturan kubbeden oluşan iki kademeli üst örtü sistemine sahiptir. Dörtgenin kenarlarının kesilmesinden oluşan sekizgen planda, daha geniş olan dört cephenin üçünde, önünde tekneleri olan çeşme bölümü ve birinde dalgalı kemerli niş yer alırken, daha dar olan kesilmiş kenarlar düz bırakılmıştır. Çokgen köşeleri, gövdesi yivli başlıklı pilastrlarla hareketlendirilmiştir. Çokgen gövdenin üst kısmındaki pilastr ve silmelerle belirlenen bölümlerde, kartuşlar içinde kitabeler yer alır (Sarıdikmen-Şerifoğlu 2008: 514). Sülüs yazıların hattatı, Hâcegân-ı Dîvan-ı Hümayun'dan Mehmed Emin'dir. Musluksuz olan dört cephedeki talik hatlı kıtalar Şair Tevfik'e aittir, bunların hattatı ise Mehmed Es'ad el-Yesârî'dir. Sekiz cephesinden birer atlamalı olarak dördü üzerinde, dörder mısralı beyitler halinde, tarih beyitinin ikinci bendi başına, Sultan I. Abdülhamid'in bir tuğrası, diğer bentlerin başına ise celi sülüs hatla birer ayet-i kerime işlenmiştir. Çeşmenin deniz tarafına bakan cephesindeki C ve akantus kabartmalı madalyon içinde, Sultan I. Abdülhamid'in tuğrası, karanfil ve gül kabartması ile h. 1197 tarihi vardır. Madalyon, üst kısmında "Barekallah" yazısı olan deniz kabuğu ile taçlandırılmıştır.

Pilastrlar arasındaki geniş dikdörgen cephelere, dekoratif rokoko karakterli S, C kıvrımlı, büyük deniz kabuğu kabartmalı kemer süslemesi ile dalgalı kemerli sığ niş içindeki ayna taşına deniz kabuğu, akantus motifleri oldukça hareketli ve dekoratif olarak işlenmiştir. Ayna taşı önünde tekne ve yanlarda setler yer alır.

Kitabenin tarih beyiti:

Zebân-ı lülesi atşeanâ der tarihini Tevfik
Muhammed aşkına mâ iç su bu nev-ayn-ı sâfiden. 1197

38

KOCA YUSUF PAŞA SEBİLİ VE ÇEŞMESİ
H.1201/M.1785

~

Fındıklı Meclisi Mebusan Caddesi üzerinde, Kabataş Vapur İskelesi karşısındaki set duvarı önündedir. H.1201/ m.1785'te Sadrazam Koca Yusuf Paşa tarafından yaptırılmıştır. Fındıklı Molla Çelebi Camii'nin son cemaat yeri cephesinde yer alan sebil ve çeşme, 1956-1957 yılında yol genişletilmesi sırasında buradan kaldırılarak bugün bulunduğu set duvarı dibine nakledilmiştir (Ünsal 1969: 52). Yapı, uzun yıllardır kafeterya olarak kullanılmaktadır.

Rokoko üslubun hâkim olduğu sebil, cephe sebilleri grubuna girer. Bağlı bulunduğu yerden yarım yuvarlak planlı olarak dışa taşar. Mermer kaplı yapının üzeri, kurşun kaplı geniş ahşap bir saçak ve yüksek kasnaklı bir kubbeden oluşan örtü sistemiyle örtülüdür. Sebil cephesi, tam ortada yer alan bir çeşme ile ikiye bölünür. Dışbükey formda gelişen dalgalı yuvarlak kemerli niş ve C kıvrımları, akantus yapraklı kabartmalarla süslü ayna taşı olan çeşmenin önündeki mermer teknesi de dışbükey tasarlanmıştır. Diğer bölümlere göre daha geniş olan çeşmenin iki yanında ikişer pencere, iki uçta ise simetrik olarak bir tarafta kapı açıklığı, diğer tarafta kapı açıklığı ile aynı olan bir niş yer alır. İki uçtaki nişlerin üst kısımlarında, dörtgen pano içinde yuvarlak çerçeveli sekiz kollu yıldız motifli oyma mermer şebekeler vardır. Sebil, tunç bilezikli kompozit başlıklı mermer sütunlarla bölümlenen dört pencere açıklığına sahiptir. Sebilin pencere kemerleri dalgalıdır, S ve C'lerden meydana gelir. Kemer kilit noktalarında, istiridye kabuğu motifi ve hemen üzerinde de kabartma bir kartuş vardır. Sütun başlıkları üzerinden devam eden pilastrlara dekoratif kabartma akantus ve rokoko rozet yerleştirilmiştir. Pilastrlar arasındaki içbükey-dışbükey tasarımlı mermer panolarda, kartuşlar içinde dörder satır halinde kitabe kuşağı yer alır ve kitabe çeşme üzerinde de devam eder.

Pencerelerden iki tanesinin şebekeleri sökülmüştür. Döküm tekniği ile tek parça halinde yapılmış olan şebekeler, pencere açıklığı ve kemer formuna göre şekillenen çerçeveye sahiptir. Düşey olarak bölümlenen şebeke kompozisyonunun esasını C motifleri oluşturur. C'lerin karşılıklı geldikleri yerlerde, çubuklarda yuvarlak kabaralar; C'lerin birbirinin içinden geçtikleri sıralarda ise Rokoko madalyonlar dönüşümlü olarak sıralanır (Sarıdikmen 2001: 137-138). Şebekelerde beşer su verme aralığı vardır ve su verme aralıklarını belirleyen sütun ve kemer sistemi günümüzde mevcut değildir. Vaktiyle beşer su verme aralığı olan şebekelerin bu bölümleri kesilmiştir.

Kitabenin tarih beyiti:

Edibâ sen de yaz itmâmınâ târih-i zîbâsın
Söz olmaz tarhına a'lâ sebîl-i dil-küşâdır bu 1201

▲
Koca Yusuf Paşa Sebili'nin
Çeşmesi ve kitabe kuşakları,
2012. Fotoğraf: Gül Sarıdikmen

39

SİLAHDAR YAHYA EFENDİ ÇEŞMESİ
H.1203/M.1788

~

Kabataş Meclis-i Mebusan Caddesi üzerinde, Kabataş Vapur İskelesi karşısındaki set duvarı önündedir. H.1203/m.1788'de yaptırılan üç cepheli çeşmenin tamamı mermer kaplıdır. İlk yapıldığında Dolmabahçe-Kabataş arasındaki set üzerinde, Kabataş seddi merdivenlerinin sahanlığında (Ünsal 1969: 57) yer alan çeşme, 1957 yılında yol genişletilmesi sırasında sökülmüş ve uzun yıllar yeniden kurulamamıştır. Yapının parçaları Feriköy İETT Garajı'nda bulunduktan sonra, eski fotoğraflarından yararlanılarak ve kayıp parçaları yeni malzemeyle

▶
Meclis-i Mebusan Caddesi'nden
Silahdar Yahya Efendi Çeşmesi
genel görünüş, 2012.
Fotoğraf: Gül Sarıdikmen

tamamlanarak 1994'te setin alt kısmında şimdiki yerine yeniden kurulmuştur.

Barok-rokoko süslemeli üç cepheli mermer çeşme, pilaﬆrlar yüzeyindeki ince yuvarlak gövdeli sütunlarla beşe bölünür. Geniş ön cephe, sütunçelerle birbirinden ayrılmış üç yüzden meydana gelir. Cephede, altta profillerle çerçevelendirilen yüzeyler ile ortadaki bölümde tekne ve iki yanında birer set bulunur. Cephe düzenlemesinin merkezinde çeşme aynası vardır. S ve C kıvrımlı dekoratif kemer içindeki çeşme aynasında, rokoko karakteri öne çıkan deniz kabuğu biçimli akantus motifleri yer alır. Çeşme aynasının iki tarafında, simetrik olarak sütunçelerle ayrılan daha dar iki yüzde, birbirinin aynı az derinlikli birer niş ve iki uçtaki pahlı yüzlerde de orta bölümdekine benzeyen az derinlikli nişler vardır. İki uçtaki nişlerin çevresini, vazolardan çıkan bitkisel motifli kabartma kuşağı sarar. Sütun başlıkları üzerinden kornişlerle geçilen üﬆteki yatay kuşakta, geniş bölmelerde dörder satırlık kitabe ve iki yanındaki dar yüzlerde ise kabartma çerçeveli oval birer kartuş yer alır. Bölümlenmeyi sağlayan sütun başlıkları üzerinde devam eden pilaﬆrların yüzeyi, S, C kıvrımları ve akantus motifli kabartmalarla süslüdür. Kitabe, Mehmed Emin Efendi'ye aittir.

Kitabenin tarih beyiti:

Yaz Edibâ şevk ile tarih–i tâmın sen dahi
Menba–ı sâf–ı musaffâdır içen gelsin beri 1203

▲

Silahdar Yahya Efendi Çeşmesi'nin ön cephedeki kitabesi

40

SÜLEYMANİYE MEYDAN ÇEŞMESİ
H.1207/M.1792

~

Çadır Çeşme ya da Hesap Çeşmesi olarak da bilinen yapı, Süleymaniye Meydanı'nda yer alır. H.1207/m.1792'de yaptırılmıştır. Çeşme, 2011'de İstanbul Ticaret Odası ve KUDEB tarafından reﬆore edilmiştir.

Dörtgen planlı çeşmenin köşeleri pahlıdır ve böylece haznesi çokgene dönüşür. Çeşmenin üzeri, kurşun kaplamalı ve alemli kaburgalı tonoz görünümünde üﬆ örtü ile örtülüdür ve son onarımda örtü kaplamaları yenilenmiştir. Kesme küfeki taşından yapılmış olan çeşmenin köşeleri, yine kesme taştan başlıkları da olan pilaﬆrlarla hareketlendirilmiştir. Pahlı dar cephelerde, derinliği fazla olmayan dikdörtgen birer niş vardır.

▲

Süleymaniye Meydan Çeşmesi genel görünüş, 2006.
Fotoğraf: Gül Sarıdikmen

Başlıklar üzerinde devam ederek yapıyı saran kornişler ile üst örtüye geçişteki kornişler arasındaki bölümde, ayna taşının olduğu ön cephede, iki yanda ikişer satır, ortada ise üç satırlık celi sülüs kitabe ve suyla ilgili ayetler vardır. Ayna taşının bulunduğu cepheye iki pilastr daha eklenerek bu bölüm vurgulanmıştır. Dalgalı kemerli niş içindeki ayna taşı, kabartma olarak iki sütuna oturan yuvarlak yivli kemer motifiyle süslenmiştir. Ön kısmında tekne vardır. Kesme taş çeşmenin kitabe, ayna taşı, tekne ve dinlenme taşları mermerdir.

Tarih kitabesi:

Fî şehri Rebîilevvel sene 1207
Ketebehu Muŝtafa gufira leh

Çadır Çeşme ya da Hesap Çeşmesi olarak da bilinen yapının üzeri, tepesi alemli yüksek eğrisel kubbeyle örtülüdür.

▶
Süleymaniye Meydan Çeşmesi genel görünüş, 2012. Fotoğraf: Gül Sarıdikmen

MİHRİŞAH VALİDE SULTAN
SEBİLİ VE ÇEŞMELERİ
H.1210/M.1795

~

Eyüp Boſtan İskelesi Sokağı üzerinde, Mihrişah Valide Sultan İmareti ile Hüsrev Paşa Kütüphanesi arasındadır. Sebil ve çeşme; türbe, imaret, mektep ve çeşmelerden oluşan Mihrişah Valide Sultan Külliyesi bütünlüğünde, külliyenin güneydoğusunda yer alır. Sultan III. Selim'in annesi Mihrişah Valide Sultan tarafından h.1210/m.1795'te, Mimar Kethüdası Arif Ağa'nın mimarbaşılığı zamanında yaptırılmıştır (Kumbaracılar 1938: 47; Haskan 1996: 423).

Cephe sebilleri grubuna giren sebil, Türk rokoko üslubunun en güzel ve karakteriſtik örneklerindendir. Basamaklı bir podyum üzerinde yükselen sebilin cephesi, içbükey-dışbükey olarak tasarlanmıştır ve yarım yuvarlak planda bağlı bulunduğu cepheden dışa taşmaktadır. Sebilde, pembe ve beyaz renkli mermer kullanılmıştır.

▲

Mihrişah Valide Sultan Sebili ve Çeşmeleri genel görünüş, 2006. Fotoğraf: Gül Sarıdikmen

Sebilin iki yanında simetrik olarak, mimarisine ve süslemesine uygun birer rokoko çeşme yer alır. Çeşmeler ile sebil arasına akantus motifli tepelikli, içi bezemesiz birer mermer niş yerleştirilmiştir. Çeşmelerden sonra iki tarafta da hazire pencereleri yer alır. Sebilin içinde yine Rokoko üslupta küçük bir çeşme ve kurnası vardır. Yapının içi dörtgendir ve pencerelerin olduğu cephe yarım yuvarlak planda dışa taşar. Sebilin üzerinde kurşun kaplı bir kubbe ve çeşmeler üzerinde de devam eden kalemişi süslemeli geniş bir saçak vardır.

Sebilin iki yanındaki mermer çeşmeler, birbirinin eşidir. İki yanda pilastrlar üzerinde kompozit başlıklı sütunlarla sınırlandırılan dikdörtgen alanda, pembe renkli mermerden ince zarif sütunlar ve başlığı üzerinde devam eden korniş ve pilastrlarla cephe bölümlenir. Üstteki yüksek kabartma akantus yapraklar, C'lerle taçlandırılan dekoratif rokoko kartuşta "Maşallah", silmeler arasındaki dikdörtgen alandaki kartuş içinde "Ve mine'l mâ-i külle şey'in hayy", soldaki çeşmedeki kitabede "Ve sekâhum Rabbuhüm şerâben tahûrâ" ayetleri yazılıdır. Pembe sütunlar arasında, silmelerle dikdörtgen olarak çerçevelenen ayna taşında yüksek kabartma, kademeli olarak küçülen akantus ve C motiflerinden oluşan dekoratif kemer düzenlemeleri vardır. En içteki, istiridye kabuğu olarak sonlanır. Önünde tekne ve setler vardır. Teknenin dış yüzeyine kabartma kartuş işlenmiştir.

▲

*Mihrişah Valide Sultan
Sebili'nin sol yanındaki çeşmesi*

Sebilin içbükey-dışbükeyli yarım yuvarlak etek kısmı, dekoratif pilaśtrlarla beşe bölünür ve bu alanlarda kartuş motifli mermer panolar yer alır. Tezgâh üzerindeki sütunlar, bu pilaśtrlar hizasında yükselir ve sütun başlıkları üzerinden saçak altına kadar devam eden pilaśtrlarla cephe düşey bölümlenir. Sebilin beş pencere açıklığı vardır. Pencereleri ayıran sütunlar, tunç bilezikli kompozit başlıklı ve ince, uzun üçlü sütun demetleri halindedir. Pencere kemerleri, S, C kıvrımlarından oluşur ve kilit taşları deniz kabuğu gibi akantus yapraklarıyla hareketlendirilmiştir. Sütun başlıkları üzerinde ikinci bir başlık gibi duran ve tüm cepheyi saran profilli silmeler, cepheyi iki yatay kuşağa ayırır ve pilaśtrlar üzerinde birer başlık görünümü alırlar. Pilaśtrların yüzeyinde rokoko motifler, akantus yaprakları, C'ler yer alır. Pencere kemerleri üzerindeki ilk kuşakta, dekoratif yüksek kabartma kartuşlar, üśtteki ikinci kuşakta ise yine dekoratif birer kartuş içinde her biri dörder satır halinde yazılmış kitabe vardır, ancak tarih belirtilmemiştir. Yesari hattı ile yazılan kitabe, Galata Mevlevihanesi şeyhlerinden Galip Dede'ye aittir (Haskan 1996: 424). Kademeli kornişle kalemişi bezemeli saçağa geçilir.

Sebilin pencereleri demir şebekelerle örtülüdür. Döküm şebekeler, kemerlerin ve pencere açıklıklarının formuna uygun olarak şekillenen çerçeveye sahiptir. Cephenin hareketliliğine uygun dışbükey biçimlendirilmiş olan şebekeler, düşey eksende üzerinde küçük yuvarlak kabaralar bulunan dört demir çubukla beşe bölünür. Şebeke kompozisyonu, daireler, tepelikler, palmetler ve uçları toplu C motiflerinden oluşur. Şebekeyi bölümlendiren düşey çubuklar, su verme aralıklarında dekoratif küçük birer sütuna dönüşür ve aralarda C'ler, palmet motiflerinden meydana gelen kemerlerle altışar su verme aralığı oluşur. Günümüze orijinal olarak ulaşabilen şebekelerin su verme aralıklarının bir bölümünün kemerleri kırılmıştır.

Kitabenin son beyiti:

*Gâlib kalemden akdı bil târihi hem-çün selsebil
Eshâba Zemzem hem sebil ayn-ı safâyı Mihrişâh*

42

ŞAH SULTAN SEBİLİ

H.1215/M.1800

~

Eyüp Defterdar Caddesi üzerinde, Şah Sultan Mektebi'nin altındadır. III. Mustafa'nın kızı, III. Selim'in kız kardeşi Şah Sultan tarafından h.1215/m.1800'de İbrahim Kami'nin mimarbaşılığı zamanında yaptırılmıştır (Kumbaracılar 1938: 47). Ofis olarak kullanılmaktadır.

Cephe sebili grubundaki yapı, mektebin alt katında, dışa taşan cephesiyle tam bir dairevi plana sahiptir ve yarım yuvarlak olarak dışa taşar. Sebil ve iki yanındaki pencereler, avlu kapısına kadar mermer kaplıdır. Rokoko üsluptaki sebil, mermer bir podyum üzerinde yükselir. Yuvarlak plandan üç pencere açıklığıyla dışarı açılan cephesinde rokoko süsleme hâkimdir. Etek kısmında pilastrlar, tezgâh üzerinde mermer sütunçeler ve bu sütunçelerin başlıklarından saçağa kadar uzanan pilastrlarla düşey bölümlenme vurgulanır. Etek bölümü, kabartma kartuşlu iki pilastr ile üçe bölünerek aralara kartuşlu, madalyonlu mermer panolar yerleştirilmiştir. Silmelerle geçilen tezgâh üzerinde tunç bilezikli kompozit başlıklı üçerli dört sütun arasında üç pencere açıklığı oluşturulmuştur. Sütunlar arasındaki pencere kemerleri, C motifleri ve dekoratif istiridye kabuğu formlarından meydana gelir. Ortadaki pencerede istiridye kabuğu formlu tepelik tam ortada yer alırken, yanlardaki pencerelerde ise bu tepelik yine ortada olmasına rağmen pencere kemerlerine asimetri hâkimdir. Sütun başlıkları üzerinde, gövdesi yivli pilastrlar üzerinde devam eden diğer pilastrlarda yüksek kabartma akantus yaprakları vardır ve aralardaki panolarda, dörder satırlık kitabe yer alır. Üstte, kornişle saçağa geçilir. 1930'lu yıllara ait bir fotoğrafta (Şerifoğlu 1995: 133) ahşap saçağın üzerinde kalemişleri olduğu görülür. Günümüzde saçak, sıbyan mektebi ile beraber bordo renge boyanmıştır.

20. yüzyıl başlarında çekilmiş bir fotoğrafında (Şerifoğlu 1995: 132), sebilin kullanılır durumda olduğu ve pencerelerdeki su verme aralıklarında sıra sıra dizilmiş su tasları ile beraber içerideki görevli sebilci görülür. Fotoğrafta, sebil pencerelerinde günümüzde olmayan, birbiriyle aynı orijinal şebekeleri yer alır. Pencere kıvrımlarına uygun bir çerçeve içindeki kompozisyonda, C motifleri kullanılmıştır. Altta, sütun ve dalgalı kemerli altışar su verme aralığı vardır. Günümüzdeki şebekeler orijinal olmayıp iki ayrı kompozisyona sahiptir. Ortadaki şebeke, orijinal şebekelerin bir kopyası olarak yapılmaya çalışılmıştır. Kompozisyon, orijinal şebekelere benzemekle birlikte orijinal şebekelerde hatlar daha kıvrımlıyken bu şebekede

III. Mustafa'nın kızı ve III. Selim'in kız kardeşi Şah Sultan tarafından h.1215/m.1800'de İbrahim Kami'nin mimarbaşılığı zamanında yapılan sebil bugün ofis olarak kullanılmaktadır.

▲

20. yüzyıl başlarında içeride sebilci ve sıra sıra dizdiği su taslarıyla Şah Sultan Sebili'nin genel görünüşü. (Su Güzeli İstanbul Sebilleri, s. 132.)

Şah Sultan Mektebi ve alt katındaki Şah Sultan Sebili genel görünüş, 2012. Fotoğraf: Gül Sarıdikmen

hatlar daha köşeli ve keskin olarak belirir. İki yandaki şebekeler birbiriyle aynıdır ve kemerin asimetrik görünümüne uygun olarak dalgalı bir forma sahiptir. Amcazade Hüseyin Paşa Sebili ve Ayasofya Sebili'nin pencere şebekelerindeki gibi uçları toplu C motiflerinin sırt sırta gelecek şekilde kaydırılmış eksende sıralanmasından oluşur. Altı bölmeli olan su verme aralıkları, Bursa kemerli olarak düzenlenmiştir (Sarıdikmen 2001: 257-259).

Kitabenin tarih beyiti:

Lüle-i hâmeden ihyâ oldu târîhi revân
Şâh Sultân nev sebil etdi binâ mâ iç zülal 1215

BEYHAN SULTAN ÇEŞMESİ

H.1219/M.1804

~

Arnavutköy Akıntıburnu'nda, sahil yolunda yer alır. Sultan III. Mustafa'nın kızı Beyhan Sultan tarafından h.1219/m.1804'te yaptırılmıştır. Barok-rokoko üslüptaki mermer çeşmenin, 1950'lerde Bebek yolunun genişletilmesi sırasında yıktırıldığı bilinir. Tanışık (1945: II. 165-166), 1945'te yayımlanan kitabında, çeşmenin yıkılmadan önce, o tarihlerde sağlam olarak görülen bir fotoğrafına yer vermiştir. Egemen (1993: 203), 1975'te çeşmenin kırık mermer parçalarının Tevfikiye Camii avlusunda bulunduğunu ve parçalar arasında Enderunlu Vasıf'a ait kitabenin de olduğunu belirtir. Eksik parçaları tamamlanarak yeniden kurulan ve günümüzde caminin ilerisinde, yol kenarında bir meydan çeşmesi görünümündeki yapının 2004'te tekrar açılışı yapılmıştır.

Sultan III. Mustafa'nın kızı Beyhan Sultan tarafından h.1219/m.1804'te yaptırılan Barok-Rokoko üslüptaki yapı, yol yapım çalışmaları esnasında yıktırılmış, sonrasında eksik parçaları tamamlanarak yeniden kurulmuştur.

Hazneli ve iki cepheli çeşmenin denize bakan ana cephesinde, rokoko karakterli kemerler ve süslemeler vardır. Cephe; profillerle oluşan basık kemerlerle yatay ve başlığı Toskan tarzı sütun pilastrlarla düşey olarak üçe bölümlenir. Deniz kabuğu gibi akantus motifli rokoko kemerlerle süslenen dışbükey ayna taşları vardır. Profillerle geçilen dalgalı kuşakta, üstlerinde dörder satırlık kitabe ve yine profillerle geçilen üst kısmında oval madalyonlar sıralanır. Ortadaki madalyonda, kabartma olarak Sultan III. Selim'in tuğrası görülür. Yan cep-

▲

Eksik parçaları tamamlanarak yeni yerinde kurularak 2004'te açılışı yapılan Beyhan Sultan Çeşmesi'nden genel görünüş, 2007. Fotoğraf: Gül Sarıdikmen

hede, ön cephedeki gibi bölümlenme olmasına karşılık burada, rokoko motifli aynalar, kitabeler ve madalyonlar yoktur. Her iki cephede de tekneler vardır. Yapının üstü, profilli bir saçakla sonlanır ve üst kısmında bir parapet yer alır. Cami yönündeki diğer yan cephe düz mermer kaplamalı, arka cephe ise betonarme sıvalıdır.

Kitabenin tarih beyiti:

Vâsıfa şâyeşte tahrîr eylesem tarih-i tam
Yapdı Beyhan Sultan âlâ tarh-ı dil-cû çeşmesar 1219

▲
Beyhan Sultan Çeşmesi'nin denize bakan ön cephesinde tuğra, kitabeler ve kemer süslemeleri

44

MİHRİŞAH VALİDE SULTAN ÇEŞMESİ
H.1220/M.1805

~

Yeniköy Köybaşı Caddesi üzerindeki parkta yer alır. H.1220/m.1805'te Sultan III. Selim'in annesi Mihrişah Sultan tarafından yaptırılmıştır. Önceden Molla Çelebi Camii'nin kıble duvarında yer alan (Tanışık 1945: II. 168; Egemen 1993: 611) çeşme, 1957-1958'deki yol yapım çalışmaları sırasında caminin yıktırılması sonucunda, günümüzde Yeniköy Parkı'nda, ön cephesi sokak yönüne, haznesinin olduğu arka cephesi ise parka dönük olarak durmaktadır. 2006'da restore edilmiş ve bu sırada geniş ahşap saçaklı, kiremit kaplı üst örtü eklenmiştir.

H.1220/m.1805'te Sultan III. Selim'in annesi Mihrişah Sultan tarafından yaptırılan çeşme, iki dekoratif sütuna oturan sivri at nalı kemerli çeşme nişi ve üstte kemer motifli kare, dikdörtgen sığ nişli cephe düzenlemesiyle dikkat çekicidir.

▶
Yeniköy Parkı'nda yer alan Mihrişah Valide Sultan Çeşmesi'nin son onarımlar sonrasında genel görünüşü, 2007. Fotoğraf: Gül Sarıdikmen

Taş-tuğla almaşık duvarlı dörtgen haznesi olan çeşmenin Boğaz yönüne bakan cephesinde renkli mermerler vardır. İki dekoratif sütuna oturan sivri at nalı kemerli çeşme nişi ve üstte kemer motifli kare, dikdörtgen sığ nişli cephe düzenlemesiyle dikkat çekicidir. Yapının ayna taşında süsleme yoktur. Çeşmenin, iki dekoratif sütuna oturan at nalı kemerinin üst kısmında, yine kemerli bir niş olduğu görülür. Bu kemerli nişin içinde Sultan III. Selim'in tuğrası, çiçek, güneş ve ay motiflerinin olduğu mermer kitabe yer alır. Kitabesinde, banisi Mihrişah Sultan'ın adı geçer.

Kitabenin tarih beyiti:

Sahibetü'l–hayrât ve'l–hasenât devletlû inayetlû
Mihrişah Valide Sultan aliyyetüş-şan hazretleri 1220

▲
Mihrişah Valide Sultan
Çeşmesi'nin kitabesi ve tuğra

NAKŞIDİL SULTAN SEBİLİ
H.1233/M.1818

~

Fatih Camii'nin güney tarafındaki avlu kapısının çıkışında, soldaki hazirenin ön cephesinde, Nakşıdil Sultan Türbesi'nin solundadır. Sultan Mahmud Validesi Sebili adıyla da anılan Nakşıdil Sultan Sebili, Sultan II. Mahmud tarafından annesi Nakşıdil Sultan için h.1233/m.1818'de yaptırılmıştır. Nakşıdil Sultan Türbesi ile hazire kapısının hemen yanında yer alan sebil, cephe sebilleri grubuna girer ve ampir üslup özellikleri gösterir.

Sebil, cephe sebilleri
grubuna girer ve ampir
üslup özellikleri gösterir.

Yuvarlak planlı sebil bir podyum üzerindedir ve dört pencereyle dışa açılır. Üzeri kurşun kaplı kubbe ve dar bir saçakla örtülüdür. Sebilin mermer cephesi, düşey eksende pilastrlarla dört, yatay eksende ise silmelerle üç bölüme ayrılır. Etek kısmı, gövdesi armut biçimli dekoratif pilastrlarla bölünür. Tezgâh üzerinde tunç bilezikli kompozit başlıklı ince mermer sütunlar arasında, mermer söveli ve basık kemerli pencere açıklıkları vardır. Sütun başlıkları üzerinde ikinci bir başlık gibi silme kuşağı cepheyi dolaşır ve buradan saçak altına kadar uzanan pilastrlar ile cephede düşey bölümlenme vurgulanır. Pilastrların üzeri, heykelimsi nitelikte akantus yaprak motifiyle süslüdür. Pilastrlarla bölünen panolarda kartuşlar içinde, üçer satır halinde hattat Rakım Efendi ve kardeşi İsmail Zühtü Efendi'ye (Şerifoğlu 1995: 108) ait manzum kitabe yazılıdır.

▲
Nakşıdil Sultan Sebili kemerli
pencere açıklıkları, şebekeler ve
kompozit sütun başlıkları

Sebilin pencere açıklıkları ampir üslupta demir şebekelerle örtülüdür. Döküm şebekeler, pencere açıklıklarının formuna uygun basık kemerli bir çerçeveye sahiptir. Alınlığında, gövdeye bağlanan çubuk üzerine oturan bir yarım yuvarlak ve üzerinde dilimli bir palmet motifi ile yuvarlağın iki yanından kenarlara doğru kıvrımlı dallar çıkar. Şebeke gövdesini oluşturan dikdörtgen bölümde; düşey olarak yerleştirilen, iki ucunda yuvarlak, ortasında ise oval birer düğüm bulunan kartuş düzenlemesi vardır. İki yanındaki boşluklara birer rozet çiçek ile çiçeğin iki ucuna birleşen dilimli palmetler yerleştirilmiştir. Altta, yaprak demetlerinden meydana gelen yuvarlak kemerler ve sütun sisteminden oluşan altışar su verme aralığına sahiptir.

Kitabenin tarih beyiti:

Ehl–i cennet söylesin târîhini
Vâlide Sultân'a Kevser'dir sebil 1233

*Fatih Camii, Nakşıdil Sultan Sebili
ve Nakşıdil Sultan Türbesi, 20.
yüzyıl başlarından genel görünüş.
Adell Armatür Arşivi*

GALATA MEVLEVİHANESİ
(HALET EFENDİ) ÇEŞME VE SEBİLİ
H.1235/M.1819

~

Yüksekkaldırım'ın başında, Galata Mevlevihanesi'nin girişindeki kütüphane binasının altındadır. İki katlı binanın üst katı kütüphane-mektep, alt katı ise muvakkithane ile sebildir ve bir de çeşme vardır.

Mevlevihane, h.897/m.1491'de İskender Paşa tarafından inşa ettirilmiştir (Şehsuvaroğlu 1962: 9; Kerametli 1977: 18). Daha sonraki yüzyıllarda çeşitli onarımlardan geçirilmiş ve eklenen yeni yapılarla beraber büyük bir külliyeye dönüştürülmüştür. Külliyeye ait yapıların bir kısmı günümüze ulaşmamıştır. Günümüze ulaşabilen bölümleri semahane, derviş hücreleri, şeyh dairesi, hünkâr mahfili, bacılar kısmı, türbeler, çamaşırhane, kitaplık, şadırvan, çeşmeler, muvakkithane ve sebildir.

▲

Galata Mevlevihanesi (Halet Efendi) kütüphane-mektep, muvakkithane, sebil ve çeşmeden genel görünüş, 2012. Fotoğraf: Gül Sarıdikmen

Tekke ve muvakkithanelerin kapatılmasından sonra uzun süre karakol olarak kullanılan bina, 1946 yılında İstanbulu Sevenler Grubu tarafından restore edilmiş ve aynı yıl mevlevihanenin müze yapılması üzerine boşaltılmıştır. Mevlevihane, Galata Mevlevihanesi Divan Edebiyatı Müzesi olarak kullanılmaktadır, muvakkithane ve sebil fonksiyonlarını kaybetmiştir.

Yüksekkaldırım'ın başında, Galata Mevlevihanesi'nin girişindeki kütüphane binasının altında yer alan duvar yüzeyinden içeride, derin dikdörtgen bir niş içinde kalan kitabesiz çeşme, ampir üsluptadır.

▶

Galata Mevlevihanesi (Halet Efendi) Çeşme ve Sebili, 2012. Fotoğraf: Gül Sarıdikmen

Ampir üsluptaki binanın cephesi, düşey eksende üç bölüme ayrılarak kapı yanındaki dikdörtgen pencereli iki bölüm sebil ve muvakkithane olarak düzenlenirken diğer uçtaki bölüm ise çeşme olarak tasarlanmıştır.

Sebil ve muvakkithane, aynı mekânı paylaşmakta ve pencereler sebil vazifesi görmektedir. Pencere açıklıklarında içerideki görevli dervişlerce kandillerde ayran ve şerbet, diğer günlerde su dağıtılan dokuzar su verme aralığı olan şebekeler (Kerametli 1977: 22, 24) olduğu bilinmekle birlikte, günümüzde bu pencerelerde görülen madeni şebekeler orijinal olmayıp yeni eklenmiştir.

Duvar yüzeyinden içeride, derin dikdörtgen bir niş içinde kalan kitabesiz çeşme, ampir üsluptadır. Ayna taşını belirleyen dikdörtgen çerçevenin dört köşesinde birer kabartma rozet çiçek vardır. Üstteki yarım yuvarlak kemer formunun içi, bir vazodan çıkan akantus yapraklı yüksek kabartmayla doldurulmuştur. Dikdörtgen çerçeveyle belirlenen ayna taşında, üstte dekoratif olarak uçları iki yana sarkan fiyonklu kurdele motifine bağlanan oval çelenk görünümlü çerçeveli madalyon kabartmaları yer alır. Önündeki teknesi, duvar yüzeyinden dışa taşmaz.

▲

Galata Mevlevihanesi (Halet Efendi) Çeşmesi'nin dekoratif ayna taşı

Yapının kitabesi:

Sebil itdi binâ Hâlet Efendi âb-ı cûd iç mâ 1235

47

CEVRİ USTA ÇEŞME VE SEBİLİ

H.1235/M.1819

~

Sultanahmet Divanyolu Caddesi'ndeki Taş Mektep de denilen Cevri Kalfa Sıbyan Mektebi'nin giriş katında yer alır. Mektep, sebil ve çeşme h.1235/m.1819'da Sultan II. Mahmud tarafından saray hareminde çalışan Hazinedar Cevri Kalfa adına yaptırılmıştır (Aksoy 1968: 73). Alt kat, sebil ve çeşme, üst kat mektep olarak inşa edilmiştir. Sebil hediyelik eşya satış yeri olarak kullanılmaktadır.

Ampir üsluptaki yapı h.1235/m.1819'da Sultan II. Mahmud tarafından saray hareminde çalışan Hazinedar Cevri Kalfa adına yaptırılmıştır.

Cephe sebilleri grubuna giren yapı ampir üsluptadır. Mektep ve sebil bir tarafta dört, diğer tarafta üç pencereli iki ayrı bloktan oluşur ve bu bloklar tam ortada yer alan mermer çeşmeyle birbirine bağlanır. İki yapı bloğunun alt katındaki pencereler ve pencere şebekeleri birbirinin aynıdır. Üst kat, birinci katın üzerine konsollarla ve çıkmalı olarak yerleştirilmiştir. Çeşmenin diğer yanındaki ikinci blok ise üç katlı ve çıkmasızdır. Katlar, birbirinden silmelerle, pencerelerse pilastrlarla ayrılır. On odalı mektebin manzum kitabesi ile çeşme kitabesinin tarih beyiti Keçecizade İzzet Molla'ya aittir. Sebilde kitabe yoktur.

▲

Cevri Usta Sıbyan Mektebi, Çeşme ve Sebil genel görünüş, 2006. Fotoğraf: Gül Sarıdikmen

Dikdörtgen cepheli duvar çeşmesi, iki yanda başlıklı pilaŝtrlarla belirlenir ve katları ayıran korniş üzerindeki dikdörtgen alınlıkta kitabesi vardır. Ortada içi boş bir oval madalyonla ikiye ayrılan kitabe, solda ikişer sütunlu dört satır, sağda ise tek satırdır. Oval madalyon içine Sultan II. Mahmud'un tuğrası ve tarih manzumesinin ilk altı mısrası kazınmıştır (Egemen 1993: 232). Çeşme nişi yuvarlak kemerlidir ve kilit taşı vurgulanmıştır. Kademeli olarak silmelerle belirlenen yuvarlak kemerler içinde, dikdörtgen çerçeveli ayna taşı yer alır. Üŝtte yuvarlak kemerli bölüm içinde yüksek ayaklı bir vazodan iki yana kıvrımlar yapan akantus yaprakları ve alttaki dikdörtgen çerçevenin dört köşesinde birer çiçek kabartması vardır. Dikdörtgenin içine, üŝt kısımda dökümlü perde motifi ve üç kıvrık yaprakla taçlandırılan oval çerçeveli büyük bir madolyan işlenmiştir. Önünde yol seviyesinde kalan oval teknesi vardır.

Çeşme kitabesinin tarih beyiti:

Tarihi ile İzzet atşanı kıldı davez
Merhume uŝtanın iç ruhiyçün âb-ı zemzem 1235

Sebil cephesi mermer kaplıdır ve pilaştırlarla bölümlenir. Ampir üslup özellikleri gösteren yapı grubundaki dikdörtgen söveli pencereler, döküm tekniğiyle yapılmış demir şebekelerle örtülüdür. Ampir üsluptaki şebekelerin kompozisyonunda, üst kısmında dekoratif aylama askılar ve gövde kısmında, uçları ve ortası düğümlü dört uzun kartuş düzenlemesi görülür. Kartuşların uç kısımları halka, orta kısımları ise oval biçimlidir ve ovallerin içine ortalarında birer delik bulunan sekiz kollu yıldızlar, bunların aralarına ve iki kenara da birer halka yerleştirilmiştir. Alt kısmında dörder su verme aralığı vardır. Sütun ve kemer sisteminden oluşan su verme aralıklarında, sütun başlıkları üzerinde yapraklardan oluşan çelenk görünümlü yuvarlak kemerler yer alır. Günümüzde pencereler yol seviyesinde, su verme aralıkları da sonradan yapılan müdahaleler sonucunda kısmen çimento içinde kalmıştır (Sarıdikmen 2001: 79-80).

SULTAN II. MAHMUD ÇEŞMESİ

H.1241/M.1825

~

Kocamustafapaşa'da Fevziye Küçük Efendi Tekkesi'nin avlu duvarında yer alan çeşmenin alınlığındaki, Sultan II. Mahmud'un tuğrasının olduğu oval madalyon günümüze ulaşmamıştır.

Kocamustafapaşa'daki Feyziye Küçük Efendi Camii'nin avlu duvarında yer alır. Sultan II. Mahmud tarafından h.1241/m.1825'te yaptırılmıştır. Mermerden üç yüzlü duvar çeşmesidir. Ampir üsluptaki çeşmenin cephesi yarım yuvarlaktır ve barok yapılardaki gibi hafif içbükey-dışbükey dalgalanma vardır.

İki uçtan uzun ince sütunlarla belirlenen çeşme cephesi, düşey olarak iki pilastrla üçe, iki sıra kornişle yatay olarak yine üçe bölünür. Pilastrların yüzeyi yüksek kabartma süslemelidir. Çeşme aynasının iki yan kısmına gelen bölümlerinde, istiridye kabuğu formunda ve iki yana açılan akantus yaprağından oluşan niş düzenlemesi ve dekoratif küçük kurnası olan birer çeşmecik yer alır. Kabartma olarak üstündeki madalyona Sultan II. Mahmud'un tuğrası ile perde motifi işlenmiştir. Silme üzerinden üst kornişe kadar pilastr yüzeylerinde akantus yaprağı kabartmaları vardır. Silmeler, pilastrlar üzerinde dalgalı olarak kırılma yapar. Ortadaki çeşme cephesine iki yandan içbükey geçiş sağlanır. Bu bölümün üst kısmındaki korniş, basık kemer formunda taçlandırma yapar ve altında Sultan II. Mahmud'un tuğrasının olduğu kabartma yaprak çerçeveli oval madalyonu olması gerekirken günümüzde bu bölüm boştur. Affan Egemen'in (1993: 674-675) kitabında, çeşmenin 1975'te çekilmiş fotoğaflarında tuğralı madalyon açıkça görülür. İki yanda pilastrların yüzeyinde kabartma akantus yaprağı ve silmeler arasındaki dikdörtgen orta kuşakta iki sütun halinde beş satırlık kitabe kuşağı yer alır. Silmelerle çerçevelenen dikdörtgen ayna taşına, iki ucu dökümlü olarak sarkan perde motifleri ile tepesinde fiyonk olan kabartma oval çerçeveli madalyon ve altına akantus yaprakları yüksek kabartma olarak işlenmiştir. Önünde yüzeyi kabartma süslemeli tekne ve setleri vardır.

Sultan II. Mahmud Çeşme kitabesi

Kitabenin tarih beyti:

Çeşme yapdırdı civâr-ı câmi-i Feyziyye'de 1241
Kulzüm-i birr ü sehâb-ı âtıfet-i Mahmud Hân 1241

Feyziye Küçük Efendi Camii'nin avlu duvarındaki Sultan II. Mahmud Çeşmesi genel görünüş, 2012. Fotoğraf: Gül Sarıdikmen

49

NUSRETİYE (II. MAHMUD) SEBİLİ

H.1241/M.1825

~

Nusretiye Camii avlusunda
Nusretiye (II. Mahmud)
Sebili genel görünüş, 2007.
Fotoğraf: Gül Sarıdikmen
▼

H.1242/m.1826'da
Sultan II. Mahmud
tarafından Mehmed
Emin Ağa'nın
mimarbaşılığı
zamanında yaptırılan
yapının altışar mısralık
kitabelerinin beyitleri
Şair Keçecizade İzzet
Molla, hattı ise ünlü
talik hattatı Yesarizade
Mustafa İzzet Efendi
tarafından yazılmıştır.

▲

Nusretiye (II. Mahmud)
Sebili kabartma süslemeler
ve yuvarlak kemerli pencere
açıklıklarındaki şebekeler

Tophane'deki Nusretiye Camii'nin avlusunda yer alan eş iki yapıdan soldaki sebil, sağdaki ise muvakkithanedir. H.1241/m.1825'da Sultan II. Mahmud tarafından Mehmed Emin Ağa'nın mimarbaşılığı zamanında yaptırılmıştır. İlk olarak Tophane Kışlası'nın kapısı yanında, yolun karşısında yer alırken Sultan Abdülaziz döneminde bugünkü yerine nakledilmiştir. 1958'de Salıpazarı yolunun seviyesinin indirilmesi nedeniyle cami ve sebilin önüne basamak ilavesi yapılmıştır (Ünsal 1969: 49). Yapı, günümüzde sebil olarak kullanılmamaktadır.

Barok ve ampir karışımı olan sebilin, ön cephesi dışbükey bir yarım yuvarlak olarak tasarlanmış, arka bölümü ise yamuk dörtgen plana dönüştürülmüştür. İlk inşa edildiğinde arka cephe duvara dayandığı için plan bu şekilde gelişmiştir. Ancak, asıl yerinden taşınıp cami avlusunda bir meydan sebiliymiş gibi dört tarafı açık bir alana kurulunca plan özelliğini yitirmiştir. Arka kısımda yer alan dokuz musluk da sonradan takılmış olmalıdır. Cephesi mermer kaplı ve dışbükeyli yarım yuvarlak bir plana sahip olan sebilin dört pencere, bir de kapı açıklığı vardır. Cephede ve özellikle pencere üstlerinden saçağa kadar olan bölümde, barok üsluba uygun dalgalanma hâkimdir. Yapının üzerinde yükselen kurşun kaplı üst örtü, yapı üzerinde adeta bir etek gibi açılıp cephedeki bu dalgalanmaya uyum sağlar.

Sebilin etek kısmında herhangi bir süsleme yoktur. Pilastrlarla bölümlenen etekten silmelerle geçilen tezgâh üzerinde pilastrlar vardır ve bu yüksek pilastrların başlıklarına kabartma olarak aylama askılar -iki ucu düğümlü ve sarkan perde/kumaş motifleri- ve rozetler işlenmiştir. Perdelerin/kumaşların iki yana sarkan uçları akantus yaprağı biçimindedir. Yuvarlak pencere kemerleri üzerinden itibaren, profilli silmelerle cephe dalgalı olarak iki kuşağa ayrılır. Kemer üzerindeki kuşaklarda, ortada kabartma rozet çiçek ve perde motifleri yer alırken üstteki kuşakta kitabe panoları vardır. Kitabe panolarını ayıran pilastrlara kabartma olarak heykelimsi birer akantus yaprağı yerleştirilmiştir. Altışar mısralık kitabelerin beyitleri Şair Keçecizade İzzet Molla, hattı ise ünlü talik hattatı Yesarizade Mustafa İzzet Efendi tarafından yazılmıştır.

Sebilin kemerli pencere açıklıkları, döküm tekniğiyle yapılmış demir şebekelerle örtülüdür. Pencere açıklıklarına uygun çerçeveli şebekelerin üst kısmı, kemer alınlığı gibi yarım

yuvarlaktır. Kemerlerin alınlık kısmında, radyal olarak üç yarım yuvarlak ile merkezden ışınsal olarak çıkan dört çubuk arasında ışınsal olarak genişleyen, kenarları delikli ve dilimli stilize yaprak motifleri ve yaprakların sap kısımlarında şebeke gövdesinde de görülen iki yana açılan buğday başağı gibi birer yaprak motifi yer alır. Düşey bölümlenme ile yapraklar, sekiz dilimli yıldızlar, C motifleriyle dekore edilen şebeke gövdesinin altında, basık kemer formundaki dilimli kemerlerle bölümlenen altı su verme aralığı vardır. Nusretiye Sebili'nin şebekeleri oldukça iyi bir işçilik göstermektedir ve günümüze orijinal, ünik bir örnek olarak ulaşmıştır (Sarıdikmen 2001: 191-193).

Kitabenin tarih beyiti:
Mabedle izzet ol zamân târîhin etmiştim beyân
Yapdı civâr-ı câmie Mahmûd Hân bâlâ sebîl 1241

SULTAN II. MAHMUD ÇEŞMESİ

H.1247/M.1831

~

Tarabya'da, deniz kenarındaki Tarabya Parkı'nda yer alır. Mermer çeşme, h.1247/m.1831'de Sultan II. Mahmud tarafından yaptırılmıştır.

Ampir üslupta, nişan taşı görünümünde bir sütun çeşmedir. Kenarları pahlı dört köşeli uzun çeşmenin üft kısmında, oymalı akantus yaprak kabartmalı bir tepelik yükselir. Yapının denize ve yola bakan iki cephesinde birer musluk ve tekne vardır. Dört cephesinde de ikişer satır halinde Şair Rıfat'a ait bir şiir devam eder (Tanışık 1945: II. 180). Şiirin tarih mısrasında Sultan Mahmud'un adı geçer.

Ampir üslupta, nişan taşı görünümündeki sütun çeşmenin dört cephesinde de ikişer satır halinde Şair Rıfat'a ait bir şiir devam etmektedir.

▲

Tarabya Parkı'nda Sultan II. Mahmud Çeşmesi genel görünüş, 2007. Fotoğraf: Gül Sarıdikmen

◄

Sultan II. Mahmud Çeşmesi kitabe ve dekoratif tepelik

Kitabenin tarih beyiti:

Bende Rif'at görüp târîh-i dil-cû söyledi
Hân-ı Mahmûd âb'a zibâ çeşme bünyâd eyledi 1247

Sultan II. Mahmud Han Meydan
Çeşmesi genel görünüş, 2007.
Fotoğraf: Gül Sarıdikmen

SULTAN II. MAHMUD HAN MEYDAN ÇEŞMESİ

H.1253/M.1837

~

Boyacıköy'de, Hekim Ata Caddesi'nde yer alır. H.1253/m.1837'de, Sultan II. Mahmud tarafından yaptırılmıştır. Yapı, 1995'te kapsamlı bir restorasyon geçirmiştir.

Dörtgen planlı, su hazneli, mermer kaplamalı büyük bir meydan çeşmesidir. Meydana bakan ve iki uçtan iki kademeli yüksek pilastrla belirlenen ön cephesinde, ortadaki korniş üzerinde, kabartma süslemeli arma biçimindeki madalyonda Sultan II. Mahmud'un tuğrası yer alır. Oval madalyonun etrafı trompet, sancak ve kılıçlarla süslenmiştir. Korniş altında dörder kartuş içinde beş satırlık uzun kitabe kuşağı yer alır. Akif Mehmed Paşa'ya ait olan kitabe, Yesarizade Mustafa İzzet Efendi tarafından talik hatla yazılmıştır. İki tarafta başlıklı ikişer pilastrla belirlenen dikdörtgen ayna taşı düz mermerdir, süsleme yoktur. Önündeki teknenin dış yüzeyine dikdörtgen çerçeve içine baklava motifi işlenmiştir.

Sultan II. Mahmud Han Meydan
Çeşmesi cephesinde arma biçimli
madalyon içinde tuğra ve altta kitabe

Kitabenin tarih beyiti:

Sû gibi bir mısra-ı berceste akdı hâmedan
Yapdı bu nev çeşme-i pâkîzeyi Mahmûd Hân 1253

BEZMİÂLEM VALİDE SULTAN
MEYDAN ÇEŞMESİ

H.1255/M.1839

~

Beşiktaş Maçka'da, Spor Caddesi ile Maçka Meydanı Sokağı'nın birleştiği yerdedir. Sultan Abdülmecid'in annesi Bezmiâlem Valide Sultan tarafından h.1255/m.1839'da yaptırılmıştır. Ampir üslupta, dört cepheli meydan çeşmesidir. 1984'te zarar gören çeşme, 1985'te TBMM Milli Saraylar Daire Başkanlığı tarafından restore ettirilmiş, 2005'te tekrar onarılmıştır.

Maçka'da Bezmiâlem Valide Sultan Çeşmesi genel görünüş, 2012. Fotoğraf: Gül Sarıdikmen

▼

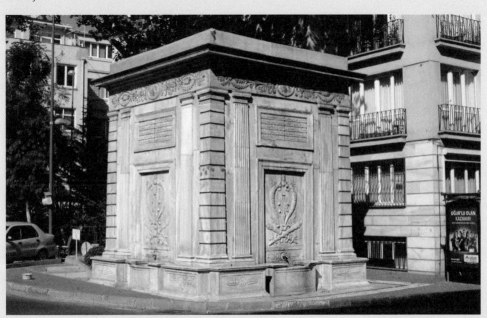

Mermer çeşmenin dört cephesi, benzer düzenlemeye sahiptir. Saçak oluşturan korniş altında, iki cephede Sultan Abdülmecid'in tuğrası, diğer cephelerde ise "Kâlellâhu Te'âla" yazılmış yapraklı çelenk biçimli oval çerçevenin iki yanına, antik Roma palmeti ve bitkisel motifler kabartma olarak işlenmiştir. Süslemeli bu yatay kuşak altında, yivli pilastrlarla cepheye hareketlilik kazandırılmıştır. Dor başlıklı ve kaideli pilastrların gövdeleri, köşelerdekilerde yatay yivli, içerdekilerde ise dikey yivlidir. Yivli pilastrlar arasında, dörtgen çerçeveli beş satırlık kitabe kuşağı vardır. Abdülmecid tuğrasının olduğu iki cephedeki bu kitabeler, Şükri ve Ziver tarafından yazılmıştır. Diğer iki cephedeki tek satırlık kitabelerde ayet yazılıdır. Kitabelerin altında ise silmelerle oluşturulan dörtgen çerçeve içerisinde, ampir üslupta kabartma süslemeli ayna taşı yer alır. Ayna taşı, çapraz yerleştirilmiş meşaleler, kurdele, girland, çiçek ve yap-

Ampir üsluptaki dört cepheli meydan çeşmesi 1984'te zarar görmüş, 1985'te TBMM Milli Saraylar Daire Başkanlığı tarafından restore ettirilmiş, 2005'te tekrar onarılmıştır.

rak motiflerinden oluşan süslemelere sahiptir. Dört tarafında birer çiçek olan dikdörtgen çerçevede, rozet içindeki musluğun iki yanına bitkisel kabartmalar işlenmiştir. Önündeki dışbükey mermer tekne ve pilastrların alt kısmında dışa çıkıntı yapan dikdörtgen setlerin silmelerle çervelenen dikdörtgen yüzeylerinde, ayna taşındaki musluğun olduğu bölümdekine benzer kabartma çiçek ve yaprak motifleri yer alır.

Şükri'nin yazdığı kitabenin tarih beyiti:

Şükriyâ târihinî al gel sadây-ı âbdan
Lüleden bu kevser âbı geldi cereyân eyledi 1255

Ziver'in yazdığı kitabenin tarih beyiti:

Revân kılsın şeh-i âfâka cû-yı nusretin sübhân
Bu semti Vâlide Sultân kıldı âb ile dilşâd 1255

*Bezmiâlem Valide Sultan
Çeşmesi'nden yivli gövdeli
pilastrlar arasında kitabe ve
kabartma süslemeli ayna taşı*

53

SULTAN II. MAHMUD TÜRBESİ SEBİLİ
H.1256/M.1840

~

Divanyolu'nda, Sultan Mahmud Türbesi ve haziresinin caddeye bakan cephesindedir. Sultan Abdülmecid tarafından türbeyle birlikte h.1256/m.1840'ta yaptırılmıştır. Sultan II. Mahmud Türbesi; hazire, kapılar, sebil ve küreli çeşmenin

*Sultan Abdülmecid
tarafından
türbeyle birlikte
h.1256/m.1840'ta
yaptırılan sebil,
bugün ofis olarak
kullanılmaktadır.*

*Sultan II. Mahmud Türbesi
Sebili genel görünüş, 2001.
Fotoğraf: Gül Sarıdikmen*

yer aldığı cephenin ardındaki mezarlıkla birlikte bütün bir yapı adasını kaplar. Sebil, bugün ofis olarak kullanılmaktadır.

Ampir üsluptaki yapı, cephe sebilleri grubuna girer. Bir podyum üzerinde yükselen ve yuvarlak planlı olan sebil, hazire duvarından yarım yuvarlak olarak dışa taşar. Cephede beş pencere açıklığı yer alır. II. Mahmud Sebili, diğer sebillerden farklı olarak adeta yuvarlak planlı antik Roma tapınağı görünümündedir. Cephedeki alçak bir etek kısmından sonra, saçağa kadar yükselen sütunlar, yapıya anıtsal bir görünüm kazandırır. Süslemesiz mermer sebil eteğinden bir silmeyle geçilen tezgâh üzerinde birer kaideye oturan Toskan sütunlar, tunç bilezikli ve oldukça yüksektir. Sütun başlıkları üzerinden itibaren silmelerle kuşatılan bir kasnak üzerinde, silmelerle geçilen ve kurşun kaplı, alemli bir kubbe yükselir. Sebilin tarih kitabesi, hazirenin sağ cümle kapısı üzerindedir. Ziver Paşa'ya ait olan kitabenin hattatı Kazasker Mustafa İzzet Efendi'dir.

Sütunlar arasındaki yüksek ve dikdörtgen açıklıklı pencereler demir şebekelerle örtülüdür. Günümüze orijinal olarak ulaşabilen şebekeler, döküm tekniğiyle yapılmıştır. Ampir üsluptaki şebekeler, çerçeve düzeninde üç bölüme ayrılır. Halkalar içinde sekiz kollu yıldız (yıldız çiçek) motifleri olan bordürlerin çevrelediği dörtgen alanlarda, düşey eksende yan yana uzun oval üç madalyon sıralanır. Kompozisyonda; uzun madalyonlar, içbükey dörtgenler, halkalar, yıldızlar ve palmet motifleri vardır. Şebekelerin en üstünde yatay dikdörtgen bir bölüm içinde, içbükey bir dörtgen içi dörde bölünür ve iki ucundan da stilize birer bitki motifi çıkarak yatay dikdörtgen alanı doldurur. Şebekelerin alt kısmında ise üç tane akantus yaprağı ile bölümlenen dörder su verme aralığı yer alır.

Kitabenin tarih beyiti:

Cevher-i târihime su verdi Zîver feyz-i cûd
Buldu kevser rûh-i Hân Mahmûd içün zîbâ sebil 1256

▲

Sultan II. Mahmud Türbesi Sebili pencere açıklıklarını örten dekoratif şebekelerden ayrıntı

Divanyolu'nda Sultan II. Mahmud Türbesi ve Sebili'nin genel görünüşü, 20. yüzyıl başları. Ömer Faruk Şerifoğlu Arşivi

▼

BEZMİÂLEM VALİDE SULTAN (ABDÜLMECİD HAN) ÇEŞMESİ

H.1261/M.1845

~

Bezmiâlem Valide Sultan (Abdülmecid Han) Çeşmesi genel görünüş, 2012. Fotoğraf: Gül Sarıdikmen

▼

Fındıkzade Vakıfgureba Caddesi'nde Bezmiâlem Valide Sultan Camii yanındadır. H.1261/m.1845'te Bezm-i Âlem Valide Sultan için yaptırılmıştır. Ampir üslupta duvar çeşmesidir.

Dikdörtgen mermer çeşmenin cephesinde, gövdesi yivli başlıklı iki pilastrla belirlenen ayna taşı üzerinde, kornişle geçilen üç sütunlu dört satırlık kitabe kuşağı ve ikinci kornişle geçilen dikdörtgen alınlıkta kabartma oval çerçeveli madalyonda Sultan Abdülmecid'in tuğrası vardır. Kornişe oturan oval çerçeveli madalyonun kenarlarındaki ışınsallarla üçgen form oluşur. Kitabe kuşağında, dördüncü satırdaki kartuşlardan iki uçtakinde, yapraklardan oluşan kabartmalar, ortadaki kartuşta ise kitabenin son tarih mısrası yazılıdır. Dikdörtgen ayna taşı, kabartma meşaleyle sonlanan, bir kökten çıkıp oval madalyon formu oluşturan, uçları içe kıvrık yaprak motiflerinden oluşan bir ilkçağ Roma palmetiyle süslüdür. Önünde teknesi ve yanlarda setleri vardır. Teknenin dış yüzeyinde ortası oval madalyonlu büyük bir güneş motifi, iki yandaki setlerin dış yüzeyinde ise ortası sekiz kollu yıldızlı güneş motifi yer alır.

Kitabenin tarih beyiti:

Ziver itsün def'-i illet nazmdan târîh-i tam
Yapdı dil-cû mâder-i şâh-ı zamân aynü'ş-şifâ 1261

PERTEVNİYAL VALİDE SULTAN ÇEŞMESİ
H.1273/M.1856

~

Eyüp'te, Haliç Köprüsü'nün ayak kısmındadır. Sultan Abdülaziz'in annesi, Sultan II. Mahmud'un eşi Pertevniyal Valide Sultan tarafından h.1273/m.1856'da yaptırılmıştır. Çeşme, Eyüp Defterdar İskelesi civarında, Yavedud Camii yakınındayken çevreyolu ve Haliç Köprüsü inşası sırasında sökülerek köprünün Eyüp tarafındaki ayağının olduğu yerde yeniden kurulmuştur. Ampir üslupta, hazneli mermer duvar çeşmesidir.

Haliç Köprüsü'nün ayak kısmında bulunan ve oldukça dekoratif süslemeleri olan mermer çeşme, kademeli pilastrlarla belirlenen dikdörtgen üzerinde üçgen alınlık oluşturan bir düzenlemeye sahiptir.

◄

Haliç Köprüsü'nün Eyüp tarafındaki ayağı yakınında yeniden kurulmuş olan Pertevniyal Valide Sultan Çeşmesi genel görünüş, 2012. Fotoğraf: Gül Sarıdikmen

Oldukça dekoratif süslemeleri olan mermer çeşme, kademeli pilastrlarla belirlenen dikdörtgen üzerinde üçgen alınlık oluşturan bir düzenlemeye sahiptir. Alınlıkta, yüksek kabartma çiçekler, üzüm, kıvrımlı akantus motifleri ve oval madalyon içinde kitabe vardır. Ortadaki oval madalyonun üzerinde çiçekler ve ışınsal düzenleme ile alınlık üçgen forma dönüşür. Alınlığın altında, besmele ve ayet yazılı tek satırlık kitabe kuşağı ve iki yanında bitkisel kabartmalar vardır. Saçak oluşturan kademeli korniş altındaki beş satırlık dikdörtgen kitabe kuşağı, iki yandaki bitkisel kabartmalı kademeli pilastrlar arasında kalır. Kitabenin yazarı Şeyh Ahmed Muhtar Efendi, hattatı ise Hafız Mehmed Emin el-Eyvani'dir (Haskan 1996: 403). Kitabeyi sınırlandıran ikinci korniş altında, iki yandan kademeli olarak yivli gövdeli iyon başlıklı sütun görünümdeki pilastrlarla belirlenen alanda, yuvarlak kemerli niş içinde, oldukça süslü ayna taşı yer alır. Yuvarlak kemerin kilit taşı olan yerde, kabartma akantus yapraklı kartuş içinde "Maşallah" ya-

zılıdır ve kemer köşeliğine kıvrımlı akantuslar işlenmiştir. Yuvarlak kemerin alt kısmında, yüksek kabartma olarak akantuslar ve girlandla çevrelenen yuvarlak bir madalyon içinde ise bir hadis yazılıdır. Bu yüksek kabartma süslemenin hemen alt altına, yeni harflerle mermere kazınmış olarak, harap olan çeşmenin yeniden imarına ilişkin açıklama yazılmıştır. Ayna taşında yine yüksek kabartma, akantus, girland ve tepesinde kâse içinde çiçeklerden oluşan zengin süsleme vardır. Önündeki tekne ve setlerin cephelerine de kabartma rozet, çiçek motifleri işlenmiştir. Mermer çeşmenin iki yanındaki duvar, içbükey olarak devam eder.

Pertevniyal Valide Sultan Çeşmesinde dekoratif akantuslar ve girlandla çevrelenen yuvarlak madalyon içindeki hadis

Kitabenin tarih beyiti:

Bir su içüp Muhtâr tahsîn eyledim hayratını
Pertev nümâ Susuzlara nev çeşmeden âb-ı hayat 1273

56

ABDÜLAZİZ HAN ÇEŞMESİ
H.1278/M.1861

~

Edirnekapı Şehitliği'ndedir. Sultan Abdülaziz tarafından h.1278/m.1861'de yaptırılmıştır. İlk olarak Taksim-Dolmabahçe arasında Gümüşsuyu Asker Hastanesi'nin duvarına bitişik olarak yaptırılmış, sonrasında yol düzenleme çalışmaları sırasında sökülerek Edirnekapı Şehitliği'nde yeniden kurulmuştur.

Sultan Abdülaziz tarafından yaptırılan çeşmenin mermer dikdörtgen cephesinde, oymalı kornişin üst kısmında iki yandan helezonik S kıvrımlar arasında, "Bir Türk Bin Hasma Bedeldir / Ne Mutlu Türküm Diyene" yazılı kitabe vardır.

Gümüşsuyu Asker Hastanesi'nin duvarından sökülerek Edirnekapı Şehitliği içinde yeniden kurulmuş olan Abdülaziz Han Çeşmesi'nin genel görünüşü, 2012. Fotoğraf: Gül Sarıdikmen

Duvar çeşmesi olan yapının mermer dikdörtgen cephesinde, oymalı kornişin üst kısmında iki yandan helezonik S kıvrımlar arasında, "Bir Türk bin hasma bedeldir / Ne mutlu Türküm diyene" yazılı kitabe vardır. S kıvrımların yanına heykel niteliğinde mermerden yüksek ayaklı dekoratif birer vazo yerleştirilmiştir. Kitabe üzerinde, iki yandan dekoratif yüksek kabartma girlandlarla taçlandırılan yuvarlak madalyonda TC harflerinden oluşan amblem yer alır. Saçak oluşturan oymalı korniş altında, kompozit başlıklı, yivli ve akantus yaprak kabartmalı gövdeli sütunçelerle cephe üçe bölünür. Cepheye dengeli, simetrik bir süsleme kompozisyonu hâkimdir. İki yan yüzde silmelerle belirlenen dar dikdörtgen alanlar, düşey eksende ortada çiçekler, uçlarında C'ler ve akantus yapraklarıyla doldurulmuştur. Sütunçelerin arasında kalan dikdörtgen ayna taşı, yüksek kabartma akantus yaprağı, çiçekler, C motifleriyle oluşturulan bordür içinde, dikdörtgen çerçevede kurdeleler, girlandlar, oval madalyon, akantus yaprakları ve yine deniz kabuğu düzeninde akantus motifleriyle süslüdür. Önünde teknesi ve setleri vardır. İki yanındaki setlerin dış yüzeyine ortada çiçek ve iki yana deniz kabuğu motifi, tekneye ise iki uçta setlerdeki süslemenin yarım hali ile orta bölümüne deniz kabuğu benzeri kabartmalarla hareketlilik verilmiştir.

▲

Abdülaziz Han Çeşmesi dekoratif ayna taşı

Çeşmenin bugün mevcut olmayan iki kıtalık kitabesinin tarih beyiti:

Su gibi atşana işrabeyle tarihin Senih
Kıldı Han Abdülâziz icra beca âb-ı zülâl 1278
(1861 m.) (Tanışık 1945: II. 213)

57

RAMİZ AĞA ÇEŞMESİ
H.1278/M.1861

~

Beşiktaş'ta, Şenlikdede Mescidi'nin yan tarafındaki parkın alt kısmında, set üzerindedir. Ramiz Ağa tarafından h.1278/m.1861'de yaptırılmıştır. Eğimli araziden dolayı büyük su haznesi, arkasındaki setin zeminini oluşturur. Yan tarafındaki merdivenli yoldan sete çıkılır.

▲

Ramiz Ağa Çeşmesi dekoratif alınlık kısmı, tuğra ve kitabe

Çeşme, ampir üsluptadır. Mermer kaplı dörtgen cephe, dor başlıklı dört pilastrla üçe bölünür ve bu pilastrlar üzerinde kitabe panoları devam eder. Kitabelerin üzerindeki kornişin üst kısmında ise alınlık yer alır. Dekoratif kabartma-

▶

Ramiz Ağa Çeşmesi genel görünüş,
2013. Fotoğraf: Gül Sarıdikmen

larla süslü alınlığın orta bölümünde oval madalyon içerisinde Sultan Abdülaziz'in tuğrası görülür. Korniş altında kitabe kuşakları sıralanır, ortadakinde dört satırlık tarih kitabesi ve yan bölümlerin birinde hadis, diğerinde ayet yazılıdır. Kitabe, Beşiktaş Mevlevihanesi Şeyhi Nazif Ahsen Dede tarafından yazılmıştır (Tanışık 1945: II. 213; Egemen 1993: 699). Pilaştrlarla bölünen cephede ortadaki dikdörtgen bölümde, iki pilaştr üzerine oturan yuvarlak kemerli yüzeysel niş düzenlemesi vardır. Kemerin kilit taşı, kabartma akantus motifiyle vurgulanır. Düz ayna taşının önünde teknesi ve setleri yer alır. İki yan bölümde süsleme, tekne ve set yoktur. Çeşme, oldukça bakımsız durumdadır ve reştore edilmesi gerekmektedir.

Kitabenin tarih beyiti:

Söyledim târih-i gevher-dârın atşâna Nazîf
Lûtf idüb Ramiz Ağa kıldı revan âb-ı zülâl 1278

58

PERTEVNİYAL VALİDE SULTAN ÇEŞME VE SEBİLİ
H.1288/M.1871

~

Aksaray'daki Pertevniyal Valide Sultan Camii'nin orta avlu kapısının sağında ve solunda yer alırlar. Sultan Abdülaziz'in annesi, Sultan II. Mahmud'un eşi Pertevniyal Valide Sultan tarafından h.1288/m.1871'de yaptırılmıştır. Cami, türbe, mektep, sebil ve çeşmelerden oluşan külliyenin, sivri kemerli ve dikdörtgen açıklıklı büyük avlu giriş kapısının iki yanındaki ikişer nişten kapı tarafındakiler sebil, uçtakiler ise çeşme olarak tasarlanmıştır.

Eklektik üsluptaki yapıda, mukarnaslı korniş, rumi, palmet, lotus motifli klasik dönem süslemelerine de yer verilmiştir.

Çeşme ve sebiller, üst kısmı yoğun süslemeli olan anıtsal giriş cephesinde, volütlü ve deniz kabuğu motifli başlıkları olan büyük mermer sütunların gerisindeki nişlerden oluşur. Cepheyi bölümlendiren sütunlar, duvardan ayrı, serbesttir ve üstteki mukarnaslı kornişi ve alınlığı taşır. Sütun gövdelerinin alt kısmı kabartma süslemelidir ve sütun kaideleri, setlere oturur. Sütunların gerisindeki duvar yüzeyinde, iki sütunla belirlenen nişler sıralanır. Nişlerin iki yanındaki dekoratif başlıklı sütunlar üzerinde silmelerle oluşturulan bir çerçeve yer alır. İç kısmında sütun başlıklarına oturan kemer sistemi oluşur. Yüzeyi bitkisel, rumi motifli kabartma süslüdür ve ortasında palmet motifi bulunan bir sarkıt vardır. Kademeli dalgalı kaş kemerle belirlenen niş içindeki ayna taşları sadedir. Sebil olan bölümlerde, nişin alt kısmında nişi çevreleyen profilli çerçeveyle çevrilen bir pano üzerinde yuvarlak aynalı beş lüle görülür. Burası sebil teknesinin ön yüzüdür. Lüleler parmaklıklarla koruma altına alınmıştır. Parmaklıklar, sebil nişinin üçte bir yüksekliğine kadar ulaşır ve alt kısmında, lüleler hizasında yuvarlak kemerli beş adet su verme aralığı vardır (Sarıdikmen 2001: 202-203).

▲

Pertevniyal Valide Sultan Çeşme ve Sebili, avlu kapısı solundaki bölüm, 2001. Fotoğraf: Gül Sarıdikmen

Pertevniyal Valide Sultan Camii yanında abidevi bir girişin iki yanına tasarlanan Pertevniyal Valide Sultan Çeşme ve Sebili genel görünüş, 20. yüzyıl başı. Ömer Faruk Şerifoğlu Arşivi

▼

▶

Pertevniyal Valide Sultan Camii yanında Pertevniyal Valide Sultan Çeşme ve Sebili genel görünüş. Sultan II. Abdülhamid Yıldız Fotoğraf Arşivi

Çeşme ve sebiller üzerindeki kartuşlar içinde, ikişer satır halinde dörder beyitlik kitabe yer alır.

Kitabenin tarih beyiti:

*Abd-i ihsan cû-yi Safvet söyledi târihini
Yaptı â'lâ çeşme-i nev Vâlide Pertevniyal 1288*

59

OLANLAR TEKKESİ SEBİLİ VE ÇEŞMESİ
H.1288/M.1871

~

Aksaray'da, Murad Paşa Camii'nin avlusunda, şadırvanın arka tarafındadır. Prenses Mehveş Hanım tarafından h.1288/m.1871'de yaptırılmıştır. İlk olarak Aksaray'da, Cerrahpaşa Caddesi ile Millet Caddesi köşesindeki Olanlar

Tekkesi'nin ön cephesinde yer alıyordu. Oğlanlar/Olanlar Tek-
kesi, 1453-1461 arasında Sekbanbaşı Yakub Ağa tarafından
kurulmuş, 1871'de Mısır hıdivlerinden Prens Abbas Paşa'nın
eşi Prenses Mehveş Hanım tarafından yeniden inşa ettirilmiş-
tir. Dört katlı tekkenin zemin katının cadde üzerindeki güney
cephesinde yer alan türbe-sebil ile çeşmenin bulunduğu bölüm
mermer kaplı olup üzeri kiremit kaplı kırma çatıyla örtülüydü
(Tanman 1994: VI. 123). Tekke, 1957'de yol genişletmesi sıra-
sında yıkılmış (Ünsal 1969: 18) ve türbe, sebil ile çeşme 1964-
1969 yılları arasında şimdiki yerinde yeniden kurulmuştur.

*Aksaray'da, Murad Paşa
Camii'nin avlusunda yeniden
kurulmuş olan, Olanlar Tekkesi
Sebili ve Çeşmesi genel görünüş,
2013. Fotoğraf: Gül Sarıdikmen*

▼

Dörtgen planlı olan sebilin ana cephesi iki köşeden
45 derecelik açıyla kesilmiştir. Ampir üslubun hâkim olduğu
sebilin ana cephesinde dört pencere vardır. İkisi pahlı dar kö-
şelerde daha dar ve ikisi ortadaki geniş alanda olup bunlar di-
ğerlerinden geniştir. Sebilin pilastırlarla hareketlendirilen etek
bölümünden silmeler ile geçilen tezgâh üzerinde yine pilas-
tırlarla bölümlenme sağlanır. Silmelerle belirlenen ve oldukça
yüksek tutulan yuvarlak kemerli pencereler, demir şebekelerle
örtülüdür. Şebeke kompozisyonu, yuvarlak kemer içinde ışınsal
düzenleme ve gövdede yuvarlak lokmalarla birbirlerine tuttu-
rulan ovaller ile içbükey dörtgen motiflerinden oluşur. Pencere
kemerlerinin kilit noktaları birer yuvarlak oluşturur. Kemerler
arasına Kadiriliğin sembolü olan ve tarikatın taçlarının tepesin-
de yer alan Kadiri gülleri kabartma olarak işlenmiştir. Yuvarlak
birer madalyon içindeki bu semboller, iki daire içinde merkez-
de beş kollu yıldız motifi ve birbiriyle çakışan üçgenlerden olu-
şur. Kemerler üzerinden cephe boyunca uzanan bir kornişten

▲

*Olanlar Tekkesi Sebili
yanındaki çeşme*

sonra, yivli konsollar ve rozetlerle dekore edilen ikinci kuşakta, mermer kartuşlar içinde ikişer satır halinde beş mısralık kitabe kuşağı yer alır. Türbe-sebil yapısının arka cephesinde iki büyük pencere daha vardır ve ön cephedeki pencerelerle aynıdır.

Sebil kitabesinin tarih beyiti:

İçti suyu söyledi naçiz dahi tarih-i tam
Mâder-i İlhâmi Paşa yapdı ra'na bir sebîl 1288

Sebil ile çeşme arasında üft kısmı yuvarlak kemerli bir kapı ve kapının iki yanında üçgenle sona eren iki pencere vardır. Kapı etrafındaki sövelere beş kollu yıldızlar ve Kadiri gülleri işlenmiştir. Kitabesinde h.1291/m.1874 tarihi olan ampir üsluptaki çeşme, duvar çeşmesidir. Mermer levhalarla kaplı çeşme cephesinde, ortadaki kitabenin iki tarafındaki panoları taşıyan dört mermer gömme sütunla cephe bölümlenir. Üftte ortadaki kitabe ve iki yanındaki kartuşlarda ayetler ve hadisler yazılıdır. Ortadaki kitabenin üft kısmına kıvrık yaprak motifli kabartmalar işlenmiştir. Kitabe kuşağının altında, volütlu başlıklı iki gömme sütunla belirlenen alanda iki sütunçeye oturan sepetkulpu kemerli çeşme nişi yer alır. Kemerin iç kısmında dört satırlık kitabe kuşağı ve altında düz mermer pano halinde süslemesiz çeşme aynası vardır. Önündeki teknenin dış yüzeyine kartuş içinde bir rozet kabartma olarak işlenmiştir. Üftteki yivli korniş kuşağı, sebil üzerinde de devam eder.

▲

Olanlar Tekkesi Sebili cephesinde kabartma Kadiri gülleri

Çeşme kitabesinin tarih beyiti:

Tam târihim dahi şâyan-ı iftihsan ola
Oldu bu dergâh ile ra'nâ vü zîbâ çeşme-sâr 1291

60

MURADİYE SEBİLİ VE ÇEŞMELERİ
H.1293/M.1876

~

Sirkeci Hocapaşa'da, Hüdavendigâr Caddesi ile Orhaniye Caddesi'nin kesiştiği köşededir. İlk olarak Mirmiran Mehmed Paşa tarafından yaptırılan sebil, daha sonra üç ay padişahlık yapan V. Murad için h.1293/m.1876'da tamiren yaptırılmıştır (Kumbaracılar 1938: 59; Egemen 1993: 621; Ünsal 1986: 24). Kitabesi yoktur. Büfe olarak kullanılmaktadır.

Köşe sebilleri grubuna giren yapının iki tarafında birer çeşmeile Hüdavendigâr Caddesi yönünde muvakkithane yer alır. Çeşmeler, üst kısımları kurşun kaplı küçük birer kubbeyle örtülüdür ve saçakta kalemişi süslemeler görülür. İki yanda pilaştlar üzerine oturan mukarnas başlıklı iki sütun üzerine oturan yüksek sivri kemerli bir niş düzenlemesi vardır. Ayna taşı düzdür, süsleme yoktur. Önünde dekoratif kurna ve iki yanda mukarnaslı sarkıt süslemeler vardır.

Muradiye Sebili ve Çeşmesi genel görünüş, 2001. Fotoğraf: Gül Sarıdikmen

▼

Sebil, planı ve mukarnas başlıklı sütunları ile klasik üslup özelliklerini yansıtırken, aynı zamanda, neogotik üsluptaki yüksek sivri kemerleriyle eklektik bir görünüm sergiler. Sekizgen planlı sebil, beşgen olarak beş pencereyle dışa açılır. Sebilin cephesi mermer kaplıdır. Çokgen etek bölümünün köşelerinde pilaştrlar vardır ve silmelerle geçilen tezgâh üzerinde, kare kaideli, mukarnaslı başlıklı, ince ve yuvarlak gövdeli mermer sütunlar yükselir. Poligonal cephedeki köşelerin iki tarafına da birer sütun yerleştirilmiştir. Mukarnaslı sütun başlıkları arasında, mukarnaslı bir sarkıt bulunur. Sütunlar arasındaki alanlarda beş pencere açıklığı vardır. Sütun başlıkları üzerinde

Günümüzde büfe olarak kullanılan sebil, planı ve mukarnas başlıklı sütunları ile klasik üslup özelliklerini yansıtırken, aynı zamanda neogotik üsluptaki yüksek sivri kemerleriyle eklektik bir görünüm sergiler.

çift kademeli sivri kemerler yükselir. Kemerlerin kilit noktaları, üstte yuvarlak birer kabara ile vurgulanmıştır. İnce bir silme ile çerçevelenen bu panolarda, üst köşeler içe doğru yuvarlatılmıştır. Bir silme kuşağı ile köşelerinde yivli pilastrlar olan çokgen kasnağa ve kalem işi süslemeli saçağa geçilir. Saçak üzerinde çokgen kasnak devam eder ve üstte alemli, kurşun kaplı kubbe yükselir.

Sebilin sivri kemerli, mermer söveli pencerelerinde demir şebekeler vardır. Döküm şebekelerin kompozisyonu, üzerinde kabartma çiçekler olan küp biçimli lokmalarla birbirine bağlanan ovaller ve çubuklardan meydana gelir. Üstte, bitkisel kıvrım dallar ve birer hilalle taçlandırılır. Altta, sekiz su verme aralığı vardır. Büfe olarak kullanılan sebilin su verme aralıklarını bölümlendiren sütun görünümlü dekoratif çubukların bir kısmı kesilerek şebekelerin bütünlüğü bozulmuştur (Sarıdikmen 2001: 173-175).

Muradiye Sebili yanındaki çeşme ve dekoratif kurnası, 2001. Fotoğraf: Gül Sarıdikmen

61

BALA TEKKESİ ÇEŞME VE SEBİLİ
H.1309/M.1891

~

Silivrikapı'da, Tekke Maslağı ile Bala Tekkesi sokaklarının keşiştiği yerde, tekkenin karşısındadır. Sebil ve çeşme; cami-tevhidhane, mektep, türbe, hazire, derviş hücreleri, muvakkithaneden oluşan Bala Külliyesi'ne dahildir. Sultan Abdülmecid'in hanımı ve Sultan II. Abdülhamid'in analığı Pereştu Kadınefendi tarafından, babası Şumnulu Şeyh Ali Efendi'nin ruhunu şadeylemek için h.1309/m.1891'de sebil-çeşme-muvakkithane grubu yaptırılmıştır (Tanman 1994: II. 6; Şerifoğlu 1995: 115). Sebil, çeşme ve muvakkithane, külliye içinde ayrı bir yapı grubu oluşturur. Sokağa bakan cephesi tamamen mermer kaplı olan yapı grubunda, çeşmenin sağındaki yapı muvakkithane, solundaki ise su haznesiyle bağlantılı olan sebildir. Çeşmenin yanlarında üçer tane abdest musluğu yer alır. Sebil ve muvakkithane, bağlı bulundukları cepheden çokgen planlı olarak dışa taşar. Üstlerini örten çatı, kiremit kaplıdır ve geniş ahşap bir saçak çeşme-sebil-muvakkithane üzerinde kesintisiz devam eder. Ahşap kaplamalı arka cephede iki katlı olan yapı grubu, uzun yıllardır konut olarak kullanılmaktadır.

Silivrikapı'da Bala Tekkesi karşısında, aynı çatı altındaki muvakkithane ve sebil arasında yer alan mermer çeşme

Birbirinin aynı olan sebil ve muvakkithane, ampir üslup özellikleri gösterirken, ortadaki çeşme barok-rokoko üsluptadır. Pencere kemerlerinin üzerinden başlayıp saçak altına kadar uzanan bölümde yer alan kitabe, muvakkithaneden başlar ve bütün cephe boyunca çeşme üzerinden de devam ederek sebilde son bulur. Cephe boyunca devam eden ve iki parçadan oluşan kuşak halindeki talik hatlı manzum kitabe, Üsküdarlı Ali Rıza Efendi'ye aittir. Ortadaki çeşmenin üzerinde ise, boş bir kartuş ve bunun iki yanında hattı Ömer Faik Efendi'ye (Ayverdi 1960: IV. 1957; Tanman 1994: II. 9) ait "Ve-cealnâ mine'l-mâi külle şey'in hayy" ve "Ve sekahüm rabbühüm şerâben tahûrâ" ayetleri yazılıdır.

Mermer duvara bitişik olan çeşme, dalgalı cephe tasarımı ve süslemesinde kullanılan alçak ve yüksek kabartma motiflerle barok-rokoko üslubundadır. İki yanda üzeri kabartma süslemeli, başlıklı pilastrlarla belirlenir ve korniş üzerinde S, C kıvrımlar, akantus yaprakları ve kartuş motiflerinden oluşan gösterişli alınlığı vardır. Tepe kısmında, günümüze ulaşmayan, etrafı ışınsal kabartmalı oval çerçevede Sultan II. Abdülhamid'in tuğrası yer alıyordu. Bu bölümün üzerinde, boş bir kartuş ve iki yanında kesintisiz devam eden kitabede ayetler yazılıdır. Çeşmeyi sınırlandıran iki uçtaki pilastrların aynısı, çeşme nişinin iki yanında da devam eder ve aralarındaki dar bölüm içbükey gelişir. Deniz kabuğu gibi tasarlanan akantus yapraklı ve S kıvrımlı dekoratif kemerle belirlenen ayna taşında, sütunçeler, çiçek ve kıvrımlı akantus yapraklarından oluşan dekoratif yüksek kabartmalar vardır. Önündeki mermer teknenin cephesinde, kabartma olarak ortada ampir üslupta büyük oval güneş motifi ve dört köşede aynı motif çeyrek olarak yer alır. İki yandaki set, düz mermer levha kaplıdır.

Silivrikapı'da Bala Tekkesi Muvakkithane, Çeşme ve Sebili'nin genel görünüşü. 2012. Fotoğraf: Gül Sarıdikmen

▼

Oldukça sade olan sebil cephesinde, silmelerle cepheye hareketlilik kazandırılmıştır. Sebilin çokgen etek bölümünden silmelerle geçilen tezgâh bölümünde poligonal kaideli mermer toskan sütunlar yer alır. Dört sütun arasında üç pencere açıklığı oluşur ve pencerelerin basık kemerleri, Bursa kemeri gibi kırılma yaparlar. Kemerler üzerindeki silme kuşağından sonra, ikişer satırlık kitabe kuşağı ve kornişlerle geniş ahşap saçağa geçilir. Pencere açıklıkları, günümüze orijinal olarak ulaşabilmiş demir şebekelerle örtülüdür. Döküm şebekelerde, yatay ve dikey çubuklarla oluşturulan kare ve dikdörtgen bölmelerde, daire içinde çiçek görünümü veren sekiz köşeli yıldız oymalı motifler, tam ve yarım olarak yer alır. Çubuklar üzerinde iki yönde de dilimli birer tepelik biçiminde çıkıntı vardır. Şebekelerde, üst kısımda kareler içinde yer alan, içlerinde yıldız olan dairelerin yarım olarak kullanılmasıyle meydana gelen atnalı biçiminde kemerlere sahip dörder su verme aralığı vardır (Sarıdikmen 2001: 61-62).

Kitabenin tarih beyiti:

Kalendar kaldırup yed sûy-ı Hakk'a yaz bu târîhi
Su iç mâ-i hayâtın aynidir bu çeşme-i Bâlâ 1309

62

HAMİDİYE ÇEŞMESİ
H.1318/M.1900

~

Beşiktaş Asariye Caddesi Eğriçınar Sokak'ta yer alır. Sultan II. Abdülhamid tarafından h.1318/m.1900'de yaptırılmıştır. Tek yüzlü meydan çeşmesidir. Hamidiye Suyu Tesisleri'ni yaptıran Sultan II. Abdülhamid, birbirinin eşi ya da benzeri nitelikte çok sayıda çeşme yaptırmıştır (Çeçen 2000: 311-334; Egemen 1993: 328-331). Ayrıca demirden döküm çeşmeleri de vardır.

Beşiktaş Asariye Caddesi'ndeki mermer çeşme, üstte klasik dönem çeşmelerinde görülen palmet tepelikle taçlandırılır. İki köşede yüzeyi rumi motifli birer palmet ve ortada üst kısmı dalgalı kemer oluşturan kıvrımlı düzenlemeye sahip alınlıkta kabartma yuvarlak madalyon içinde Sultan II. Abdülhamid'in tuğrası vardır ve 1318 tarihi ile madalyonun iki alt yanında eski yazıyla "Hamidiye Çeşmesi" yazılıdır. Kabartma süslemeli korniş altında dikdörtgen çeşme aynası yer alır. Köşeler pahlıdır ve dikdörtgen olarak beliren alanda dalgalı kemerli niş düzenlemesi görülür. Kemerin etrafına klasik dönem süslemesi olan rumi motifli kabartmalar işlenmiştir. Kemer formunun iç kısmı ise süslemesizdir. Önünde yüzeyi kabartma süslemeli üç kenarlı ayak üzerine oturan üç kenarlı kurnası vardır. Bir sıra kabartma bordürle süslü kurnası kırıktır.

Beşiktaş'taki Hamidiye Çeşmesi, Beyoğlu ve Esenler'deki Hamidiye çeşmeleriyle aynıdır. Beşiktaş'ta Sabancı Lisesi'nin girişinde yer alan bir diğer Hamidiye Çeşmesi'nde üstteki madalyonun içinde tuğra yoktur ve ayna taşının alt kısmı biraz farklıdır. Beşiktaş'ta Yahya Efendi Dergâhı avlusundaki h.1324/m.1906 tarihli Hamidiye Çeşmesi'nde mermer ayna taşı, Lale Devri'nde sıkça görülen yuvarlak kemer içinde istiridye kabuğu motiflidir ve köşelikte birer rozet yer alır.

▲

Eğriçınar Sokak'ta son yıllarda kurnası kırılmış olan Hamidiye Çeşmesi'nin genel görünüşü, 2012. Fotoğraf: Gül Sarıdikmen

◄

Hamidiye Çeşmeleri. Ömer Faruk Şerifoğlu Arşivi

Hamidiye Çeşmeleri'nde, Batılılaşma etkisiyle mimariye giren barok, rokoko, ampir, art nouveau gibi yabancı sanat etkileri sonrasında, Osmanlı klasik dönem ve Lale Devri çeşmelerinde görülen motifler çeşme mimarisinde yeniden kullanılmıştır.

63

SULTAN II. ABDÜLHAMİD HAN MEYDAN ÇEŞMESİ

H.1319/M.1901

~

1957'de sökülüp yeni yerine taşınmadan önce eski yeri olan Tophane'de Nusretiye Camii önündeki konumu ve etrafında gelişen gündelik yaşam içinde Sultan II. Abdülhamid Han Meydan Çeşmesi'nin genel görünüşü. Ömer Faruk Şerifoğlu Arşivi ▼

Beşiktaş Maçka Parkı'nda, İTÜ Maden Fakültesi karşısında yer alır. Sultan II. Abdülhamid tarafından h.1319/m.1901'de yaptırılmıştır. İlk yapıldığında Tophane'de Nusretiye Camii önünde yer alıyordu. İtalyan mimar Raimondo d'Aronco'ya (Batur 1994: II. 550) yaptırılmıştır. 1957'deki yol genişletme çalışmaları sırasında sökülmüş ve sonrasında Maçka Parkı'ndaki yerine monte edilmiştir.

İtalyan mimar Raimondo d'Aronco tarafından yapılan Sultan II. Abdülhamid Han Çeşmesi, Osmanlı çeşme mimarisinde eklektik üslupta özgün bir yapıt örneğidir.

Mermerden, art nouveau ve rokoko süslemeleri olan eklektik üslupta dört cepheli meydan çeşmesidir. Kurşun kaplı, iki kademeli, oldukça geniş saçak oluşturan bir üst örtüsü vardır. İkisi dar, ikisi geniş olan cephelerde, aylama askılı dekoratif başlıklı zarif sütunlarla köşeler yuvarlatılmıştır. Kabartma rozet süslemeli konsollara oturtulan sütunların, gövdenin başlığa yakın bölümü yivlerle hareketlendirilmiştir. Perde motifli başlıkları üzerinde devam eden korniş, ikinci başlık gibidir ve üzerinde saçak kornişine kadar pilastr yer alır. Köşelerdeki pilastrların yüzeyine yüksek kabartma rokoko motifler, S kıvrımlı akantuslar işlenmiştir. Kornişler arasında kalan bölümde C kıvrımları ve akantus motifleri arasında, benzer motiflerle çer-

çevelenmiş kitabesi, dört cephede birer beyitten oluşur. Kitabe Üsküdarlı Ahmet Talat'a aittir (Tanışık 1945: II. 231). Geniş cephelerde süsleme fazladır. Dar yan cephelerde kitabe daha sade kartuş motifi içindedir. Dar cephelerde, sütunlar arasındaki dikdörtgen bölüm iç içe kademeli silmelerle çerçevelenir ve ayna taşına dekoratif yüksek kabartma istiridye kabuğu gibi yaprak motifi işlenmiştir. Altta, dekoratif yuvarlak kurna yer alır. Geniş cephelerde, bu sütunlar arasında, içbükey geçişle dörtgen çerçeveyle sınırlandırılan ayna taşında, yoğun rokoko süslemeler vardır ve burada üstte bir yenilik olarak ayna taşıyla bütünleşen madeni şebeke kullanılmıştır. Dekoratif madeni şebeke, art nouveau akımının güzel bir örneğidir. Ayna taşının iki yanında, yivli gövdeli başlıklı pilastrlar üzerine S kıvrımları arasına vazo içinde çiçekler, akantuslar, deniz kabukları ve diğer rokoko motiflerle zengin bir süsleme kompozisyonu oluşturulmuştur. Önünde, kabartma süslemeli dalgalı dışbükey teknesi vardır. Ayna taşını bütünleyen madeni şebeke ile daha önce kapalı kütle olarak tasarlanan çeşme gövdelerine karşılık burada doluluk-boşluk değerleri katılmıştır. Çeşme, Osmanlı çeşme mimarisinde eklektik üslupta özgün bir yapıt örneğidir (Ödekan 1992: 285; Ödekan 1994: II. 491).

▲

Sultan II. Abdülhamid Han Meydan Çeşmesi'nin açılışı. Sultan II Abdülhamid Yıldız Fotoğraf Arşivi

▲

Maçka Parkı'ndaki yeni yerinde Sultan II. Abdülhamid Han Meydan Çeşmesi'nin genel görünüşü, 2012. Fotoğraf: Gül Sarıdikmen

Kitabenin tarih beyiti:

*Ab-ı şîrîn içüp birle dedim târihini
Eyledi bu çeşmeyi bünyâd Hân-ı Abdülhâmid 1319*

Alman Çeşmesi genel görünüş, 2007. Fotoğraf: Gül Sarıdikmen

Alman Çeşmesi'nin kitabesinden ayrıntı

64

ALMAN ÇEŞMESİ
1899-1901

~

Sultanahmet Meydanı'nda yer alır. Kayzer II. Wilhelm tarafından Sultan II. Abdülhamid'e hediye edilmiştir. Tüm masrafı II. Wilhelm tarafından karşılanan çeşme, II. Wilhelm'in 1898'de İstanbul'a ikinci ziyareti anısına yaptırılmıştır. Almanya'da tasarlanarak parçalar halinde gemiyle İstanbul'a getirilmiş ve Sultanahmet Meydanı'nda monte edilmiştir. 1899'da yapımına başlanan çeşmenin Sultan Abdülhamid'in 25. cülus yıldönümü olan 1 Eylül 1900 tarihine açılışı düşünülmüş, ancak yetiştirilememiş ve II. Wilhelm'in doğum gününde, 27 Ocak 1901'de törenle açılmıştır. Tasarımı, II. Wilhelm'in bir deseninden geliştirilen ve planı Wilhelm'in özel danışmanı Mimar Spitta tarafından çizilen çeşmeyi, mimar Schoele ve Carlitzik ile İtalyan mimar Joseph Antony yapmıştır. Avrupa çeşmelerinden ve İstanbul'daki diğer Türk çeşme mimarisinden farklı bir yapıya sahiptir. Alman neorönesansı olan Rundbogenstil etkileri taşır (Batur 1993: I. 208-209). Görünüş olarak yine bir su yapısı olan şadırvanı da anımsatır.

Çeşme sekizgen planlıdır ve yuvarlak kemerlerle birbirine bağlanan sekiz sütunla taşınan kubbeyle örtülüdür. Kubbe, açık yeşil renkli ve bakır kaplıdır. Yuvarlak kemerlerin yüzeyi desenlidir ve kilit taşı olan yerler kabartma birer madalyonla vurgulanır. Sütun gövdeleri, koyu yeşil somaki mermer ve sütun tabanları ile başlıkları kabartma desenli bronz dökümdür. Sekizgen planın güney yönündeki sekiz basamakla girişi vurgulanan çeşmenin ortasında, kubbeli formda mermer su haznesi vardır. Çeşmenin giriş cephesi dışında kalan dış yedi kenarına, tablası bronz döküm kabartma süslemeli birer musluk ve önlerine geniş uzun birer tekne yerleştirilmiştir. Bu çokgen cepheler, sütunların oturduğu bölüme geçerken geometrik geçmeli motiflerden oluşan bir bordürle süslenmiştir.

▲

Sultan II. Abdülhamid tuğrası

◄

Alman Çeşmesi, Sultanahmet Meydanı'nda monte edilirken. Sultan II. Abdülhamid Yıldız Fotoğraf Arşivi

Kubbenin içi, altın yaldız mozaiklerle kaplıdır. Merkezde daire içinde renkli, içiçe bordürlerle süsleme yapılmıştır. Kubbe eteğindeki sekiz dairesel madalyondan yeşil zeminlilerde Sultan II. Abdülhamid'in tuğrası, mavi zeminlilerde II. Wilhelm'in arması dönüşümlü olarak sıralanır. Altta, yuvarlak kemerlerin üst yüzeyinde, Seraskerlik Dairesi görevlilerinden Ahmed Muhtar Bey tarafından hazırlanmış ve İzzet Efendi'nin sülüs hattıyla yazılmış olan kitabe yer alır. Giriş bölümünde de bronz plaka üzerine Almanca kitabe vardır.

Almanca kitabe:

Alman Kayseri Wilhelm II 1898 yılı sonbaharında Osmanlıların hükümdarı haşmetlü Abdülhamid II nezdinde ziyaretinin şükran hatırası olarak bu çeşmeyi yaptırdı

LALELİ ÇEŞME

1900'lerin başı

~

Galata'da, Laleli Çeşme Sokak'ta yer alır. Kitabesi yoktur. 1900'lerin başında yapılmıştır. İki cepheli köşe çeşmesidir. D'Aronco Çeşmesi olarak tanınır. İstanbul'da art nouveau akımının temsilcisi İtalyan mimar Raimondo D'Aronco tarafından yapılmıştır. Son dönem Osmanlı çeşmeleri içinde farklı bir örnektir. Eklektik üslup ve art nouveau akım etkilerini taşır. İki cepheli köşe çeşmesidir.

Laleli Çeşme genel görünüş, 2012. Fotoğraf: Gül Sarıdikmen

▼

İstanbul'da Art Nouveau akımının temsilcisi İtalyan mimar Raimondo D'Aronco tarafından yapılan ve D'Aronco Çeşmesi olarak da bilinen yapı, son dönem Osmanlı çeşmeleri içinde farklı bir örnektir.

İki cepheli yapıda, dikdörtgen yüzeylerde, dışa saçak gibi çıkıntı yapan yuvarlak kemerli düzenleme öne çıkar ve üst kısmında, iki köşe birleşiminde yüksek kabartma oval çerçeveli içi dilimli bir madalyon kuruluşundan iki yan cepheye uzanan kıvrımlı akantus yapraklarıyla alınlık etkisi oluşur. Yuvarlak kemer altında kenarları basamak gibi çıkıntılı üçgen niş vardır. Bu niş, Osmanlı mukarnas sisteminin soyutlanmasıyla (Ödekan 1992: 285; Ödekan 1994: II. 491) oluşturulmuştur. Ayna taşında nişin tepe noktasından musluğa kadar, tek sıra halinde rozet görünümünde helezonik tasarımda akantus yaprakları motifi işlenmiştir. Yuvarlak kemer düzenlemesi ve niş içindeki ayna, kabartma süslemelerle hareketlendirilmiştir. İki cephede de dışa taşan birer tekneye sahiptir.

İSTİNYE İSKELE ÇEŞMESİ

H.1326/M.1908

~

İstinye İskelesi karşısındaki otoparkta yer alır. Çeşme, h.1326/m.1908'de yaptırılmış olup banisi belli değildir. Önceden İstinye İskelesi'nde Yeniköy Caddesi köşesindeki mezarlık duvarında yer alan (Tanışık 1945: II. 235) çeşme, 1958'de taşları numaralandırılarak sökülmüş ve şimdiki yerinde yeniden kurulmuştur (Egemen 1993: 445).

Banisi belli olmayan yapının üst kısmında mermerden oymalı, kabartma süslemeli bir saçağı ve yine mermerden küçük bir kubbesi vardır.

▲

İstinye İskele Çeşmesi "Ve sekahüm Rabbühüm şeraben tahura" ayeti yazılı palmet tepelikli kartuş

◄

İstinye İskelesi karşısındaki otoparkta yeniden kurulmuş olan İstinye İskele Çeşmesi'nin genel görünüşü, 2007. Fotoğraf: Gül Sarıdikmen

Meydan çeşmesi olan yapının çokgen haznesi beton sıvalıdır. İskeleye bakan cephedeki mermer kaplamalı çeşme bölümü, rumi ve palmet kabartmalı başlıkları olan iki mermer sütuna oturan iki renkli sivri kemerlidir. Kemerin iki yanına, köşelik kısmına birer kabara yerleştirilmiştir. Sivri kemerli niş içindeki ayna taşı ve yivli kurnası oldukça dekoratiftir. Bu bölümde kabartma rumi, palmet süslemeleri dikkat çekicidir. Yapının bütün kabartma süsleme motifleri altın yaldızla boyanmıştır. Kemerin üşt kısmından saçak altına kadar, mukarnaslı ve dekoratif bordürler devam eder. Yapının üşt kısmında, süslemeli mermer konsollara oturan mermerden oymalı, kabartma süslemeli ve palmet dizisiyle taçlandırılan bir saçağı ve yine mermerden tepesi yivli dekoratif küçük bir kubbesi vardır.

Sivri kemer aynasındaki palmet tepelikli kartuş içinde "Ve sekahüm Rabbühüm şeraben tahura" ayeti ve 1326 (m.1908) olarak tarih yazılıdır. Güzel bir celi sülüs tarzındaki yazının hattatı belirtilmemiştir.

67

AYASOFYA ÜÇÜZLÜ ÇEŞME
H.1330/M.1911

~

Sultanahmet Alemdar Caddesi'nde, Yerebatan Sarnıcı'nın karşısında yer alır. H.1330/m.1911'de Sultan V. Mehmed Reşad tarafından yaptırılmıştır. Mermerden üç yüzlü, köşe çeşmesidir. Reşad Ekrem Koçu'nun (1960: III. 1476-1477) *İstanbul Ansiklopedisi*'nde yapıdan Ayasofya Çeşmesi olarak bahsedilir ve çeşmede ortadaki büyük kemerdeki madalyonda Sultan V. Mehmed'in tuğrası olduğu belirtilmesine karşılık tuğra, günümüze ulaşmamıştır. I. Ulusal Mimarlık Dönemi etkileri görülür. 1998'de reştore edilmiştir.

Üç bölümlü çeşmede, ortadaki bölüm iki yan cepheden daha yüksek ve geniştir. Yanlardaki bölümler daha geride ve açılı olarak konumlandırılmıştır. Ortada öne çıkan bölümün iki yanı, üşt kısmı kubbeyle sonlanan yüksek birer paye ile be-

Ayasofya Üçüzlü Çeşmesi'nin ortadaki basık sivri kemerli niş ve ayna taşı

Ayasofya Üçüzlü Çeşme genel görünüş, 2006. Fotoğraf: Gül Sarıdikmen

lirlenir. Yüzeyi kabartmalı dilimli kubbeciklerin payelere geçiş sağlayan çokgen kasnak görünümündeki bölümünde kabaralar vardır. Aradaki bağlantıyı sağlayan mermer alınlığa, yedi tane sekiz kollu yıldız oyma olarak işlenmiştir. Altta kademeli profillerle hafif dışa taşkın bir saçak oluşturulmuştur. İki renkli mermerden basık sivri kemerli nişin üzerinde, kilit taşının üst kısmına denk gelen bölümde düğüm içinde yuvarlak madalyon yer alır. Dikdörtgen çerçeveyle belirlenen ayna taşında, tek satırlık kitabe kartuşu altında, küçük birer kurnası olan iki niş tas yuvası olarak tasarlanmıştır ve aradaki alan kabartma kemerli motiflerle süslenmiştir. İki yan cephede de benzer düzenleme vardır. Ancak bu bölümlerde, ayna taşları farklıdır ve çeşme nişini belirleyen sivri kemerin üst kısmında birer satırlık kartuşlarda kitabe yer alır. Çeşmenin üç cephesinde de, dışa taşmadan niş derinliğinde birer tekne vardır. Çeşmedeki kitabelerde, besmele ve çeşitli ayetler yazılıdır.

Tarih ve ayet yazılı olan soldaki çeşmenin ayna taşındaki kitabesi:

Aynen fihâ tüsemmâ selsebilâ. 1330

Sultan V. Mehmed Reşad tarafından yaptırılan ve I. Ulusal Mimarlık dönemi etkilerinin hissedildiği Ayasofya Üçüzlü Çeşme, 1998'de restore edilmiştir.

CUMHURİYET ÇEŞMESİ

H.1341/M.1923

~

Haliç Ayakapı'da, sur girişi yanında, duvar önünde yer alır. Cumhuriyet dönemi duvar çeşmesidir. Cumhuriyet'in ilan edildiği 1923'te yapılmıştır.

Cumhuriyet'in ilan edildiği 1923'te yapılan çeşmenin teknesinin yüzeyinde, kabartma olarak aylama askı ve oval güneş motifi vardır.

Cumhuriyet Çeşmesi yazılı kitabe

Cumhuriyet Çeşmesi genel görünüş, 2012. Fotoğraf: Gül Sarıdikmen

Duvara bitişik mermer çeşmede, dikdörtgen cephenin iki köşesine ince birer sütun yerleştirilmiştir. Profilli saçak altında, yüzeyi kabartma süslemeli pilastrlara oturan Bursa kemeri formunun büyük kilit taşında kabartma olarak 1341 tarihi yazılıdır. İki yanda kabartma birer rozet vardır. Bursa kemerli niş içindeki ayna taşı, dikdörtgen olarak belirir ve üstte tek kartuş içinde kitabe ve altında kemer sivri motifli çeşme aynası yer alır. Önünde çokgen olarak dışa taşan bir tekne vardır. Teknenin yüzeyine, yüksek kabartma olarak aylama askı ve oval güneş motifi işlenmiştir.

Kitabe:

Cumhuriyet Çeşmesi. 1341

ANADOLU YAKASI

EL HAC MEHMED AĞA ÇEŞMESİ

H.995/M.1586

~

Üsküdar Balcılar Yokuşu ile Tabaklar Camii Sokağı'nın birleştiği yerde, köşededir. Darüssade Ağası Mehmed Ağa tarafından h.995/m.1586'da yaptırılmıştır. Mehmed Ağa çeşmenin arkasında aynı tarihte bir de namazgâh yaptırmıştır (Haskan 2001: III. 1064). Çeşme, klasik üsluptadır.

Darüssaâde Ağası Mehmed Ağa tarafından h.995/ m.1586'da yaptırılan klasik üslubun sadeliğindeki çeşmede, dörtgen hazne önündeki ön yüze, silmelerle çerçevelenen dörtgen alana iki satırlık kitabe ve basık sivri kemerli niş yerleştirilmiştir.

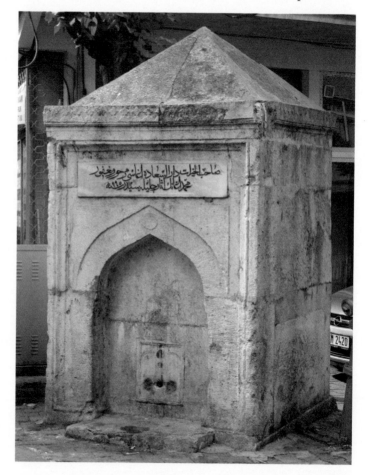

El Hac Mehmed Ağa Çeşmesi genel görünüş, 2012. Fotoğraf: Gül Sarıdikmen

Kesme taştan yapılmış olan çeşme, haznesiyle birlikte piramidal çatı örtülüdür. Çatıya geçişte, palmet kabartmalı korniş yapıyı dolaşır. Klasik üslubun sadeliğindeki çeşmede, dörtgen hazne önündeki ön yüze, silmelerle çerçevelenen dörtgen alana iki satırlık kitabe ve basık sivri kemerli niş yerleştirilmiştir. Kemerin kilit taşına kabartma bir rozet işlenmiştir. Ayna taşında kabartma olarak dikdörtgen çerçeve içinde Bursa kemeri formu belirir. Önündeki tekne yeri doldurulmuştur.

Kitabe:

Sâhibü'l-hayrât Dârü's-saâde Ağası merhûm ve mağfûr Mehmed Ağa'nın âsâr-ı celîlesidir Sene 995

Üsküdar Toptaşı Caddesi ile Valide-i Atik Çeşme Sokağı'nın birleştiği köşede, Darüssade Ağası Mehmed Ağa tarafından yaptırılan bir çeşme daha vardır. Kemeraltı Çeşmesi de denilen çeşme, dikdörtgen tasarımda, yan yana sivri kemerli üç cephelidir.

70

MISIRLI OSMAN AĞA ÇEŞMESİ
H.1020/M.1611

~

Kadıköy Söğütlü Çeşme Caddesi'nde Osman Ağa Camii'nin karşısında yer alır. Mısırlı Osman Ağa tarafından h.1020/m.1611'de yaptırılmıştır. Klasik üslupta, tek yüzlü duvar çeşmesidir. Haznesi düz çatılıdır.

Mısırlı Osman Ağa tarafından yaptırılan klasik üsluptaki basık sivri kemerli çeşmenin cephesinde, klasik üslubun sadeliği hâkimdir.

▲

Mısırlı Osman Ağa Çeşmesi kitabe

◄

Mısırlı Osman Ağa Çeşmesi genel görünüş, 2012. Fotoğraf: Gül Sarıdikmen

Kesme taştan yapılmış olan çeşmenin dikdörtgen cephesi, pahlı iki köşede birer yuvarlak sütunla belirlenir. Cephede klasik üslubun sadeliği hâkimdir. Üstte, hazne üzerinde de devam etmesi gereken saçak oluşturan korniş günümüze ulaşmamıştır, ancak, Tanışık (1945: II. 264) ve Egemen'in (1993: 673, 675) kitaplarında yayımlanan eski fotoğraflarında görülebilmektedir. Cephesinde, silmelerle çerçevelenen dikdörtgen alanda, ortada ikili kartuş içinde iki satırlık kitabe ve basık sivri kemerli nişe sahiptir. Ayna taşında, dikdörtgen çerçeve içinde boş bir kartuş ve kaş kemer kabartma olarak yer alır. Önünde teknesi ve setleri vardır.

Kitabesi:

Mısırlı Osman Ağa hayra mâil
Cû yapdı Hak içün bu çeşme-sârı
Geçüb nûş eyleyen her teşne-câne
Cinândan âb kevser vire Bâri 1020

71

HALİL PAŞA SEBİLİ VE ÇEŞMESİ
H.1026/M.1617

~

Üsküdar'da, Halil Paşa Türbesi'nin altında, bir köşede sebil, diğer köşede çeşme yer alır. Türbe, çeşme ve sebil birlikte yapılmıştır. Kaptanıderya ve sadrazam olan Kayserili Halil Paşa tarafından h.1026/m.1617'de, Mimarbaşı Mehmed Ağa zamanında yaptırılmıştır (Kumbaracılar 1938: 19; Özdeniz 1995: 208; Şerifoğlu 1995: 172). Sebil; Halil Paşa

► *Açık Türbe Sokağı'nda Halil Paşa Çeşmesi ve Sebil giriş kapısı, 2012. Fotoğraf: Gül Sarıdikmen*

.146.

Türbesi'nin altında, Açık Türbe ve Aziz Mahmut Efendi sokaklarının birleştiği köşede, Aziz Mahmut Hüdai Sokağı'na bakan cephedeki iki penceredir, çeşme ise diğer duvardadır. Pencere grubuna giren sebilin ve duvar çeşmesinin kitabeleri yoktur. Yapı bütünlüğü, 1994-1995'te restore edilmiştir.

Türbe, sebil ve çeşmeden oluşan yapı grubu, meyilli bir arazide inşa edilmiştir. Türbe, altta sebil ve diğer duvarda kapı ile çeşmenin bulunduğu zemin üzerinde iki katlı ve üzerinde çokgen kasnaklı kubbeyle örtülüdür. Klasik üsluptaki çeşme, duvar çeşmesidir. Sebilin basık kemerli giriş kapısı yanındaki duvar yüzeyinde, silmelerle belirlenen dikdörtgen çerçeve içinde sivri kemerli nişi biraz dışa taşkındır. Ayna taşında, dikdörtgenle belirlenen kabartma Bursa kemeri formu ve rozet vardır. Önüne son onarım sırasında mermer tekne eklenmiştir.

▲

Halil Paşa Çeşmesi mermer ayna taşı

◄

Halil Paşa Türbesi ve altında
Halil Paşa Sebili ve Çeşmesi 2012.
Fotoğraf: Gül Sarıdikmen

Klasik üsluptaki sebil, duvar yüzeyinde tek cepheli olarak büyük bir sivri kemer içinde, sivri kemerli iki pencereyle sokağa açılır. Kesme taştan büyük sivri kemer içinde, silmelerle belirlenen alınlık altında yan yana iki sivri kemer içinde pencereler yer alır. Kemerler ve köşelikleri bir silmeyle belirginleştirilmiştir. Sebilin orijinal şebeke ya da parmaklıkları günümüze ulaşmamıştır. Günümüzde, pencere açıklıkları basit demir parmaklıklarla kapatılmıştır.

SULTAN IV. MEHMED ÇEŞMESİ

H.1064/M.1653

~

Küçük Çamlıca'nın güney eteğinde, Üçpınar Caddesi'nde, Subaşı Camii'nin önünde yer alır. Sultan IV. Mehmed tarafından h.1064/m.1653'te yaptırılmıştır. Yakınında namazgâh ile Sultan IV. Mehmed'in Cennetâbâd Kasrı, Sultan II. Mahmud'un köşkü bulunuyordu (Haskan 2001: III. 1153).

Klasik üsluptaki çeşme, tek yüzlü meydan çeşmesidir ve kesme taştan yapılmıştır. Mermer kaplı dikdörtgen çeşmenin ön cephesinde, baklavalı bordürlü korniş, saçak oluşturur. Dikdörtgen çerçeve içinde, üç satırlık kitabe, basık sivri kemerli niş ve ayna taşı yer alır. On iki mısralık kitabe şair Cevri tarafından söylenmiştir. Kemerin kilit taşına bir rozet ve kemerin iki yan tarafına simetrik daha büyük birer rozet kabartma olarak işlenmiştir. Sivri kemerli niş içindeki ayna taşında, musluk tablasında dikdörtgenle çerçevelenen boş bir kartuş, kaş kemer ve bir rozet motifi vardır. Teknesi günümüze ulaşmamıştır, setlerinden biri sağlamdır. Suyu halk tarafından rağbet görmekte ve işlevini sürdürmektedir.

Kitabenin tarih beyiti:

Bu makâm-ı çeşmenin Cevrî didi târihini
Cennet-âbâd müferrih ayn-ı âb-ı can-fezâ 1064

Sultan IV. Mehmed Çeşmesi rozeti

Küçük Çamlıca'nın güney eteğinde Üçpınar Caddesi'nde yer alan klasik üsluptaki çeşme, tek yüzlü meydan çeşmesidir ve kesme taştan yapılmıştır.

73

YAKUB AĞA ÇEŞMESİ

H.1089/M.1678

~

Üsküdar Toptaşı Caddesi ile Hasan Bey ve Harmanlık sokaklarının birleştiği köşede yer alan Yakub Ağa Kütüphanesi'nin alt katındadır. Çeşme; kütüphane ve mektepten oluşan küçük bir yapı bütünlüğü içindedir. Duvar çeşmesi görünümündedir ve haznesi üzerinde Yakub Ağa Kütüphanesi yer alır. H.1089/m.1678'de, Kapıağası Yakub Ağa tarafından yaptırılmıştır.

Klasik üsluptaki çeşme kesme taştan yapılmıştır. Mukarnaslı bordürü olan saçak kornişi altında, silmelerle çerçevelenen çeşmenin dikdörtgen cephesinde, Mostarlı Şair Rüşdi Ahmed Efendi tarafından hazırlanmış (Haskan, 2001: III. 1093) olan dört satırlık kitabe kuşağı ve iki yanında birer rozet kabartması yer alır. Kitabenin alt kısmında, basık sivri kemerli niş devam eder. Kemerin kilit taşına kabartma bir rozet işlenmiştir ve köşeliği rumiler, kıvrık dallarla süslüdür. Nişin iç kısmında, kemerin formuna uygun basık sivri kemer motifi ve silmelerle ayna taşının olduğu dikdörtgen alan belirlenir. İki yanında küçük kaş kemerli birer niş halinde tas yuvaları vardır. Musluk tablasında, dikdörtgen içinde köşelikte birer kartuşta kitabe yazılı olan dalgalı kaş kemer motifi ve kemer içindeki kartuşta h.1089 tarihi yazılıdır. Tarih kartuşu altında, kabartma bir rozet ile iki yanına çiçek motifleri işlenmiştir. Önünde teknesi vardır.

Klasik üsluptaki çeşme, kütüphane ve mektepten oluşan küçük bir yapı bütünlüğü içindedir, kesme taştan yapılmıştır.

Yakub Ağa Kütüphanesi ve alt katında Yakub Ağa Çeşmesi ve çeşmenin günümüzde olmayan saçağı ile genel görünüşü. Ahmet Süheyl Ünver, Üsküdar'da Acı çeşme, 1961, suluboya resim. (A. Süheyl Ünver'in İstanbul'u, s. 235)

Yakub Ağa Kütüphanesi ve alt katında
Yakub Ağa Çeşmesi, genel görünüş,
2003. Fotoğraf: Gül Sarıdikmen.

Çeşmenin, iki ahşap eliböğründenin taşıdığı geniş saçağı günümüze ulaşmamıştır.

Çeşme aynasındaki kitabenin tarih beyiti:

Bu âb-ı sâftan nûş eyleyib Rüşdî dedi târih
Zehî âb-ı zülâl u ayn-ı çeşmei'l-hayat âsâ
1089

Çeşmede, 2012'de Üsküdar Belediyesi tarafından restorasyon çalışmaları başlatılmıştır.

74

MİHRİMAH SULTAN ÇEŞMESİ
H.1092/M.1681

~

Üsküdar iskele tarafında, Mihrimah Sultan Camii'nin Boğaziçi'ne bakan cephesinde, şadırvan avlusunun duvarında yer alır. H.986/m.1578'de ölen Mihrimah Sultan adına, h.1092/m.1681'de vakıf gelirleriyle yaptırılmıştır. Günümüzde, otobüs durakları ile cami duvarı arasında kalan çeşme iyi durumdadır.

Mihrimah Sultan Çeşmesi genel görünüş, 2006. Fotoğraf: Gül Sarıdikmen
▼

H.986/m.1578'de ölen Mihrimah Sultan adına, h.1092/ m.1681'de vakıf gelirleriyle yaptırılan ve günümüzde, otobüs durakları ile cami duvarı arasında kalan çeşme iyi durumdadır.

Kesme taş duvar yüzeyinde, cephesi tamamen mermer kaplı olan çeşme, klasik üslupta duvar çeşmesidir. Duvar yüzeyinden öne çıkan dikdörtgen cephesinde, üstte palmet bordürlü kornişle taçlandırılır. Çeşmenin köşeleri kum saati biçimli sütunçelerle yuvarlatılmıştır. Silmelerle belirlenen dikdörtgen alanda, üç satırlık kitabesi ve altta iki renkli mermerden basık sivri kemerli niş vardır. Kemerin kilit taşına kabartma rozet işlenmiştir. Köşelikte, süsleme olarak birer rozet yer alır. Altı mısralı sülüs hatlı kitabedeki kartuşların içlerine ve aralarına rumi, çiçek, yaprak motifleriyle kabartma süsleme yapılmıştır. Ayna taşı, dikdörtgen çerçeve içinde dalgalı kaş kemer ve bir rozetle süslenmiştir. Önünde mermer teknesi ve iki yanda setleri vardır.

Çeşmenin bağlı olduğu duvar yüzeyinde, düz mermer levhalarla kaplı iki yan kısmının devamındaki kesme taş duvar olan bölümde, tas yuvası olarak kaş kemerli küçük birer niş yer alır.

Kitabenin tarih beyiti:

*Virdi Hakk yine bu târihde ana
Çeşme-i âb-ı hayât icrâsın sene 1092*

Çeşmenin de dahil olduğu külliyede, 2012'de restorasyon çalışmaları başlatılmıştır.

75

GÜLNUŞ EMETULLAH VALİDE SULTAN ÇEŞMESİ VE SEBİLİ

H.1121/M.1709

~

Üsküdar'da, Yeni Camii'nin hünkâr mahfili önünde, külliye avlusunun kuzeydoğu köşesindeki türbenin yanında yer alan Gülnuş Emetullah Valide Sultan Sebili ve Çeşmesi, h.1121/m.1709'da Emetullah Gülnuş Valide Sultan tarafından yaptırılmıştır. Cephe sebilleri grubuna giren sebil, klasik dönemin son örneklerinden biridir. Mimar Bekir Ağa'nın mimarbaşılığı (Kumbaracılar 1938: 31) zamanında yapılan sebil ve çeşme, Sultan III. Ahmed'in annesi Gülnuş Valide Sultan tarafından yaptırılan cami, hünkâr mahfili, türbe, muvakkithane, çeşme, şadırvan, sıbyan mektebi, araşta (dükkânlar), imaret, meşruta evleri ve mahyacı odasından oluşan Yeni Valide Külliyesi'ne dahildir.

Gülnuş Emetullah Valide Sultan'ın gömülü olduğu açık türbe ile çeşme arasında yer alan sebilin kitabesi ünlü tarihçi ve şair Naima'ya aittir.

Sebil, Emetullah Gülnuş Valide Sultan'ın gömülü olduğu açık türbeyle çeşme arasında yer alır. Sebilin beş cepheli ve beş pencere açıklıklı ön bölümünün üzeri, çokgen kasnak üzerinde yarım kubbe, arkadaki dörtgen bölüm ise bir kubbeyle örtülüdür. Kurşun kaplı olan kubbenin saçağı da kurşun kaplıdır. Sebilin beş köşeli mermer etek bölümü, bugün kısmen yol seviyesinin altında kalır. Mermer tezgâh üzerinde, klasik dönemde sıkça kullanılan tunç bilezikli mukarnas başlıklı altı mermer sütun arasında, beş pencere açıklığı oluşturulmuş ve sütunlar, sivri kemerlerle birbirine bağlanmıştır. Sütunlar arasındaki kemerler, Lale Devri sebillerindeki gibi basık kemer formunda ve hafif kıvrımlarla dilimli olarak yapılmıştır. Pencere kemerlerinin üzerinde, kabartma bitkisel süslemeler ve içi boş tek satırlık ikişer kartuş vardır. Sebilin kemerli pencere açıklıklarını, pencere kemeri formunda, üst kısmı dilimli olan şebekeler örter. Şebekeler, döküm tekniği ile tek parça olarak yapılmıştır ve şebeke kompozisyonu, pencere açıklığı formunda bir çerçeve içinde aynı motifin tekrarıyla oluşturulmuştur. Adeta balık ağı gibi örülen, kenarları düğümlü baklava motifleriyle dört yönde sonsuzluk hissi veren bir kompozisyona sahiptir (Sarıdikmen 2001: 98-99). Cephede, sivri kemerlerin üst bölümünde cepheyi saran kitabe kuşağı yer alır. Kitabe, ünlü tarihçi ve şair Naima'ya aittir. Sebil ile ilgili Dürri Ahmed Efendi'nin yazdığı bir tarih şiiri daha vardır (Aynur-Karateke 1995: 116-117, dipnot 73, 74).

Sebil kitabesinin tarih beyiti:

Didi Naimâ âbını nûş eyleyüb tarihini
Vâlide Sultan sebil-i mâ-ı kevser eyledi 1121

Sebilin hemen yanında, cami avlu giriş kapısının solunda çeşme yer alır. Lale Devri'nin süsleme özelliklerini gösteren mermer çeşme, sebil ile aynı tarihte yaptırılmıştır. Sebil gibi, yol seviyesinden etkilenen çeşmenin önündeki mermer tekne yol seviyesine inmiştir. Duvara bitişik mermer çeşmenin tüm cephesi, yoğun bir bezemeye sahiptir. Yapı üst kısmında, kabartma süslemeli palmet tepeliklerle taçlandırılır. Palmet tepelikleri olan alınlığın tüm yüzeyi bitkisel bezemelidir ve ortada istiridye kabuğu motifi vardır. Alt kısmında, palmet motifli silmeden sonra, ince silmeler ve mukarnaslı silmelerle kitabe, niş ve çeşme aynasının bulunduğu dikdörtgen alan çevrelenmiştir. İki uçta, ince, burmalı gövdeli birer sütunçeyle köşeler yuvarlatılmıştır. Cephede, Taib Ahmed Efendi'nin talik yazısıyla dört satırdan oluşan on dört mısralık kitabesi yer alır. Çeşme nişi, mukarnaslarla çevrili yarım yuvarlak kemer içinde bir rozet ve istiridye kabuğu biçiminde belirlenir. Rumi, palmet motifleriyle süslü köşelikte birer kabara vardır. Niş içinde, üzengi taşlarında da devam eden mukarnaslı bordür altında kabartma olarak rozet, kâseler içinde meyveler, vazolar içinde çeşitli çiçekler, bitkisel motiflerle ayna taşı süslenmiştir. Önünde tekne ve setleri vardır.

Çeşme kitabesinin tarih beyiti:

Vâlide Sultan bünyâd itdi bu nev çeşmeyi
Rûh-i pâk-i Mustafa aşkına gel iç âb-ı nâb 1121

76

AHMEDİYE SEBİLİ VE ÇEŞMESİ

H.1134/M.1721

~

Üsküdar Ahmediye Mahallesi'nde, Gündoğumu Caddesi ile Esvapçı Sokağı'nın kesiştiği köşede yer alan Ahmediye Külliyesi'nin Tekke Kapısı denilen kitabeli büyük kapısının iki yanındadır. Cami, medrese (tekke), kütüphane, türbe, hazire, sebil ve çeşmeden meydana gelen Ahmediye Külliyesi'nin Tekke Kapısı'nın sağında çeşme, solunda ise sebil yer alır. H.1134/m.1721'de Tersane Emini Eminzade Ahmed Ağa tarafından, Halil Ağa'nın başmimarlığı zamanında yaptırılmıştır (Kumbaracılar 1938: 33).

H.1134/m.1721'de inşa edilen çeşme, h.1280/ m.1863'te Sultan II. Mahmud'un eşi Tiryal Hanım tarafından yenilenmiştir. Lale Devri özellikleri gösteren mermer çeşme, duvar çeşmesidir ve külliyenin kesme taş duvarına bitişiktir. Bitkisel motiflerden oluşan kuşaklarla çevrelenen dikdörtgen çeşmenin alınlığında, rumi, hatayi motifleri, palmet tepelikler ve iki yanda birer rozet kabartması vardır. Dikdörtgen çeşme kitabesi, dört satırlık kartuşlardan oluşur ve alt kısmında silmelerden sonra bir satırlık kitabe daha yer alır. İki yanda palmet tepelikle sonlanan sütunçelerle belirlenen alanda, tek satırlık kartuş altında, yarım daire ışınsal niş -yarım yuvarlak içinde istiridye kabuğu motifi- vardır. Niş içinde, kabartma süslemeler altında, kartuş içinde "Ve mine'l-mâ-i külle şey'in hayy" ayeti yazılıdır. Kartuş altında, beş satırlık kitabe ile dikdörtgen çerçeveyle belirlenen dalgalı kemer ve çiçek kabartmaları olan ayna taşı yer alır. Önünde mermer teknesi ve setleri vardır.

Çeşme kitabesinin tarih beyti:

Bu mısra'la didi hâtif âna bir bî-bedel tarih
Emînzâde bu ayn-ı çeşmesârı eyledi icrâ 1134

Cephe sebilleri grubuna giren Ahmediye Sebili, bağlı bulunduğu cepheden poligonal planlı olarak üç pencereyle dışarıya açılır. Mermer yapı, Lale Devri'nde yapılmış olmakla beraber ge-

Ahmediye Sebili'nin geniş ahşap saçağı ile 20. yüzyıl başlarındaki görünüşü. Ömer Faruk Şerifoğlu Arşivi

▼

Sebilin istiridye kabuğu
motifli bir kemeri

nel hatları ile klasik dönem sebil mimarisi ve süsleme özelliklerini de gösterir. Üç cepheli olarak dışa taşan sebilin üzerinde, kurşun kaplı geniş saçaklı üst örtü vardır. Mermer etek bölümü süslemesizdir ve üzerinde tezgâhta, tunç bilezikli mukarnas başlıklı dört mermer sütun arasında, basık kemerli üç pencere açıklığı oluşur. Bu açıklıkları, basık kemer formunda çerçeve içinde, altı kollu yıldızlar ve altıgen motifleri ile sonsuza tekrar eden bir kompozisyona sahip ve kaş kemerli dörder su verme aralıkları olan pirinç döküm şebekeler örter. Mukarnaslı sütun başlıkları arasında basık kemerler üzerinde, kartuşlar içinde birer satır halinde yazılmış ikişer mısra bulunur. Mukarnaslı sütun başlıkları üzerinden itibaren pencere üstlerinde, yarım yuvarlak içinde istiridye kabuğu motifli ışınsal kemerler yer alır. Kemerlerin tepe noktalarına birer daire ve köşelik kısmına rumi ve hatayi motiflerinden oluşan süslemeler işlenmiştir. Üstte, kartuşlar içinde ikişer satır olarak yazılmış, Şair Salim'in hazırladığı tarih kitabesi vardır.

Ahmediye Sebili ve Çeşmesi
genel görünüş, 2012.
Fotoğraf: Gül Sarıdikmen

Sebilin üzeri, kurşun kaplı ahşap bir saçakla örtülüdür. Eski fotoğraflarından (Şerifoğlu 1995: 176; Özdeniz 1995: 151), sebilin oldukça geniş ve süslü bir ahşap saçağının olduğu anlaşılır. Saçak kenarlarını oyma olarak işlenmiş bir sıra palmet bordür çevreler. Kumbaracılar (1938: 33), saçağı sütun başlıkları üzerinden çıkan ve hafif bir S kıvrımı çizen demir çubukların desteklediğini, sebilin üzerinde kurşun kaplı bir kubbenin bulunduğunu belirtir. Yapının üst örtüsü daha sonra yenilenmiş ve yenileme sırasında saçaktan sarkan ahşap oyma palmet bordürü ve saçağı destekleyen dekoratif demir destekler yapılmamıştır.

Sebil kitabesinin tarih beyiti:

Gelen dil-teşneye her gûzesi Sâlim didi tarîh
Zülâl-i pâki nuş it bu sebîl-i abdan sıhhâ 1134

SULTAN III. AHMED MEYDAN ÇEŞMESİ

H.1141/M.1728

~

Üsküdar İskele Meydanı'ndadır. H.1141/m.1728'de, Sultan III. Ahmed tarafından, annesi Gülnuş Emetullah Valide Sultan için yaptırılmıştır.

Dört yüzlü meydan çeşmesinin üzerindeki çatı, eskiden iki kademeli, kurşun kaplı, kenarları süslemeli geniş saçaklıyken sonrasındaki onarımlarda tek kademe, üzeri kurşun kaplı topuz çatıya dönüştürülmüştür. Lale Devri'nin ve Üsküdar'ın en meşhur yapılarından olan III. Ahmed Meydan Çeşmesi, birçok ressama ilham vermiş, çok sayıda gravürü ve yağlıboya resmi yapılmıştır. Sultan III. Ahmed Meydan Çeşmesi, Michel François Préault, John Frederick Lewis, Eugéne Flandin, William Henry Bartlett, Thomas Allom gibi birçok sanatçı tarafından resmedilmiştir. Üst örtü sistemi, bu gravürlerden, resimlerden takip edilebilmektedir (Sarıdikmen 2004: II. 155-158). 1932-1933 yıllarında büyük bir onarım geçiren yapı, Üsküdar'daki rıhtımın inşasıyla birlikte musluk seviyelerine kadar çukurda kalmış, tekne seviyesine basamaklarla inilmek zorunda kalınmıştır. 1955 yılında, Sular İdaresi tarafından 1 metre 45 santim yerden yükseltilmiş, daha önce olmayan mermer podyum eklenmiştir (Yüngül 1955: 23; Aynur-Karateke 1995: 189). Çeşme son yıllarda geçirdiği restorasyon sonucunda iyi durumdadır.

Lale Devri'nin ve Üsküdar'ın en meşhur yapılarından olan, III. Ahmed Meydan Çeşmesi; Michel François Préault, John Frederick Lewis, Eugéne Flandin, William Henry Bartlett, Thomas Allom gibi birçok sanatçıya ilham vermiştir.

Sultan III. Ahmed Meydan Çeşmesi genel görünüş, 2006, Fotoğraf: Gül Sarıdikmen

▼

▲

Denize bakan cephede Sultan III. Ahmed hattıyla celi sülüs yazılan ve Sultan III. Ahmed ile Damat İbrahim Paşa'nın birlikte söylediği tarih beyiti

Mermer kaplamalı ve dört yüzlü anıtsal meydan çeşmesinin her yüzünde, sivri kemerli nişli, bezemeli ve önlerinde tekne olan birer çeşme yer alır. Denize bakan cephesinde ayrıcalıklı olarak, çeşmenin sivri kemerli nişinin iki yanında dinlenme yerleri olarak tasarlanmış birer niş düzenlemesi daha vardır. Dörtgen yapının köşeleri pahlıdır ve gövdesi burmalı sütunlarla bu köşeler yuvarlatılarak aynı zamanda dekoratif bir görünüm almıştır. Pahlı köşelerdeki burmalı sütunlar arasında küçük birer çeşmecik yer alır. Üstte sütunlar arasında yer alan dekoratif konsollarla yapı tekrar dörtgene dönüşür ve dekoratif mukarnaslı silme ve bitkisel kabartmalı kuşaklarla üst örtüye geçilir. Geniş saçağın alt yüzeyinde de kabartma süslemeler vardır. Lale Devri'nin diğer meydan çeşmelerindeki gibi bütün yüzeyi bezenmemiş, sadece cephelerde ortadaki sivri kemerli nişlerde, kemerlerin kilit taşlarına birer kabara ve mukarnaslı bordür altında dikdörtgen içine alınan ayna taşlarına yaprak, dalgalı kemer, çiçek ve rozet işlenmiştir. Cephelerde, sivri kemerli nişlerin yan tarafları, düz mermer levhalarla kaplıdır. Köşelerde, önlerinde küçük kurna olan çeşmeciklerin kabartma rumi motifli bordürle çevrelenen ayna taşında, balık pulu motifleri ve üst kısmında, yarım yuvarlak kemer formu içerisinde merkezinde kabara olan istiridye kabuğu motifi vardır. Yarım yuvarlak kurna yüzeyleri de kabartma bordürle süslüdür.

İbrahim Paşa Suyolu'ndan beslenen çeşmenin denize bakan cephesindeki kitabe, Sultan III. Ahmed hattıyla celi sülüs olup, diğer üç cephedekiler talik hatla yazılmıştır. Kuzey cephesinde Nedim, güney cephesinde Şakir, doğu cephesinde Rahmi tarafından söylenmiş, Sultan III. Ahmed'i öven, Sadrazam Damad İbrahim Paşa tarafından Üsküdar'da Şerefâbâd Kasrı'nı ve Üsküdar'a bol su temin etmek amacıyla bu çeşmenin yaptırıldığını ve h.1141 tarihini veren dokuzar satır halinde on sekiz mısralık üç tarih kasidesi vardır. Denize bakan cephede ise bir satır halinde iki mısralı Sultan III. Ahmed hattıyla yazılan ve Sultan III. Ahmed ile Damad İbrahim Paşa'nın birlikte söylediği bir tarih beyiti yer alır.

Didi Hân Ahmed ile bile İbrahim târîhin
Suvardı âlemi deşt-i Muhammed ile cevâdullah 1141

Bu tarih beyitinin altında, "Ahmed İbn-i Mehmed Han" olarak Sultan Ahmed'in imzası da yer alır.

Şair Şakir'in kitabesinin tarih beyiti:

Tamam oldukda atşâne didi târîhini Şâkir
Gel iç mâ-i hayâtı çeşme-i Sultan Ahmed'den 1141

Şair Nedim'in kitabesinin tarih beyiti:

Bu mısra'la Nedîmâ söyledi târîh-i itmâmın
Bu şehri mâ ile Sultan Ahmed eyledi sîr-âb 1141

Şair Rahmi'nin kitabesinin tarih beyiti:

Şâkirâ Rahmî içüb âbın didi târîhini
Hükm-i Sultan Ahmed icrâ itdi el-hak Zemzemi 1141

78

AHMED AĞA (AYRILIK) ÇEŞMESİ
H.1154/M.1741

~

Ayrılık Çeşmesi olarak bilinen yapı, Kadıköy Haydarpaşa'da, Ayrılık Çeşmesi Sokağı başında yer alır. Tek yüzlü meydan çeşmesidir. Bizans ve Osmanlı dönemlerinde, Anadolu'ya gidecek bütün ordular, kervanlar, yolcular buradan törenlerle yolcu edilirdi. Bizans döneminde, "Hermagoras Menbaı" adıyla anılırdı (Haskan 2001: III. 1042). Osmanlılar zamanında, Sürre Alayı buradan uğurlanırdı. Muhtemelen bu nedenlerden dolayı Ayrılık Çeşmesi olarak adlandırılmıştır. Vaktiyle çınar ağaçları, geniş bahçeli kahveler, karşısında Ayrılık Çeşmesi Namazgâhı, solunda Araplar Mezarlığı, Ayrılık Çeşmesi Mezarlığı olan yapı, günümüzde yol kenarında, işlevsiz küçük bir çeşme olarak kalmıştır. H.1154/m.1741 tarihli kitabesinden, Kızlarağası Gazanfer Ağa'nın yaptırdığı çeşmenin, h.1154'te Sultan I. Mahmud'un Kapıağası Ahmed Ağa tarafından ve h.1340 tarihli diğer kitabeden de Dürriye Sultan tarafından ihya edildiği anlaşılır.

Klasik üsluptaki çeşme kesme taştan yapılmıştır. Dikdörtgen cephenin iki kenarı pahlıdır ve burası başlıklı, ince uzun yuvarlak gövdeli birer sütunla yuvarlatılmıştır. Üstte saçak oluşturan hafif dışa taşan oymalı, kabartmalı bir kornişle taçlandırılır. Silmelerle çerçevelenen cephede, çeşme nişi dalgalı kemerlidir. Niş içinde, biri dört satırlık, diğeri tek satırlık iki ayrı mermer kitabe yer alır. Dört satırlık kitabe, Sultan I.

▲
Ahmed Ağa (Ayrılık) Çeşmesi kitabeleri

Mahmud'un Kapıağası Ahmed Ağa'nın h.1154/m.1741'de tamir kitabesi, alt kısmında kartuş içindeki tek satırlık kitabe ise h.1340/m.1921'de Dürriye Sultan'ın yaptırdığı tamiratın kitabesidir. Dürriye Sultan, Sultan Mehmed Reşad'ın oğlu Mehmed Ziyaeddin Efendi'nin 17 yaşında 1922'de veremden ölen kızıdır (Haskan 2001: III. 1044). Kitabenin alt kısmında iki yanda küçük kemerli niş halinde birer tas yuvası vardır. Ayna taşında, dikdörtgen çerçeveli mermere kaş kemer işlenmiştir. Önünde ve iki yan tarafında var olan üç bölümlü tekne yol seviyesinin altında kaldığından çeşme eski görüntüsünü kaybetmiştir.

▶

Ahmed Ağa (Ayrılık)
Çeşmesi genel görünüş, 2012.
Fotoğraf: Gül Sarıdikmen

Kapıağası Ahmed Ağa'nın ihya kitabesinin tarih beyiti:

Geldi bir hayr ehli tarihin dedi
Pâk ihya eyledi Ahmed Ağa 1154

Dürriye Sultan'ın tamir kitabesi:

Dürriye Sultanın rûhiyçün el-fâtiha 1340

SADEDDİN EFENDİ ÇEŞME VE SEBİLİ

H.1154/M.1741

~

Üsküdar Tunusbağı'nda, Fethi Paşa Camii'nin karşısında, Karacaahmet Türbesi'nin yanındadır. Sadeddin Efendi tarafından ölen kızı Zübeyde'nin ruhunu şadeylemek için h.1154/m.1741'de yaptırılmıştır (Şerifoğlu 1995: 177). Yarım yuvarlak planlı olarak yola çıkıntı yapan sebil, yanındaki çeşmeyle beraber yapılmıştır. Aynı saçağı paylaşan sebil ile çeşme, barok-rokoko üslup özellikleri gösterir.

Sadeddin Efendi tarafından ölen kızı Zübeyde'nin ruhunu şadeylemek için h.1154/m.1741'de yaptırılan ve aynı saçağı paylaşan sebil ile çeşme, barok-rokoko üslup özellikleri gösterir.

Sadeddin Efendi Çeşme ve Sebili genel görünüş, 2012. Fotoğraf: Gül Sarıdikmen

Çeşme, dikdörtgen cephesiyle hazire duvarına bağlı bir duvar çeşmesi görünümündedir. Solunda hazireye, sağında sebile bitişiktir. Kompozit başlıklı uzun ince sütunlarla belirlenen dikdörtgen cephede, beş satırlık kitabenin alt kısmı bitkisel süslemelidir. Kitabenin alt kısmındaki C ve S kıvrımlarıyla oluşan rokoko kemerin köşeliğinde, kıvrım dallar, yapraklardan oluşan kabartma süslemeler yer alır. Ayna taşı süslemesizdir. Önünde teknesi vardır. Çeşmenin iki uçta, sütunlarla belirlenen bölümlerinden sebile ve hazireye birleştiği iki yandaki dar bölümlere, önlerinde kurna olan dekoratif küçük birer çeşmecik yerleştirilmiştir.

Çeşme kitabesinin tarih beyiti:

Şâkirâ atşan okurlar su gibi târihini
Kevser ile iç Zübeyde rûhuna âb-ı zülâl 1154

Sadeddin Efendi Çeşmesi ve iki yanında dekoratif çeşmecikleri, 2001. Fotoğraf: Gül Sarıdikmen

Yarım yuvarlak olarak dışa taşkın sebilin üç pencere açıklığı vardır ve üzeri, çokgen kasnak üzerine oturan konik bir külahla örtülüdür. Kasnağın alt kısmındaki geniş saçak çeşmeye kadar uzanır. Süslemesiz etek bölümünden geçilen tezgâh üzerinde, rokoko üslupta volütlü ve akantus yapraklı kompozit başlıklara sahip dört mermer sütun vardır. Kompozit başlıklı mermer sütunlar, dalgalı kemerlerle birbirlerine bağlanır ve arada üç pencere açıklığı oluşur. Kemerlerin tam tepe noktalarının üst kısmında kabartma olarak birer çiçek yer alır. Günümüzde pencere açıklıklarında, düz demir parmaklıklar vardır. Bu parmaklıklar orijinal değildir, sonradan takılmıştır. Yapının 19. yüzyılda, Eugène Flandin ve W. H. Bartlett tarafından yapılmış olan gravürlerinde bu açıklıklarda, altta su verme aralıkları da olan madeni döküm şebekeler olduğu görülür.

Sütun başlıkları üzerinden saçağa kadar düz pilastrlar devam eder ve aralarda, dalgalı kemerlerin üst kısmında Şair Şakir tarafından yazılmış beş satırlık kitabe kuşağı sebili çevreler. Kitabe üzerinde yer alan silmeyle geniş saçağa geçilir.

Sebil kitabesinin tarih beyiti:

Gelüb bir bir okurlar Şâkirâ târîh-i itmâmın
Sebîli yapdı Sa'deddin Efendi iç şifâdır mâ 1154

Bu çeşmeciklerden hazire tarafındaki günümüzde mevcut değildir. 2012. Fotoğraf: Gül Sarıdikmen

Eugène Flandin, Üsküdar'da Mezarlık Çeşmesi, 19. yüzyıl, gravür, (L'orient, Pl.no:43.)

İSHAK AĞA ÇEŞMESİ (ONÇEŞMELER)

H.1159/M.1746

~

İshak Ağa Çeşmesi (Onçeşmeler) genel görünüş ve gündelik yaşamdan bir kesit, 20. yüzyıl başları. Gülbün Mesara Arşivi

Beykoz Çarşı Meydanı'nda, on lülesinden dolayı Onçeşmeler adıyla günümüze kadar gelen abidevi İshak Ağa Çeşmesi, Beykoz'un önemli simgelerinden biridir. Sultan I. Mahmud Tokat Kasrı'nı yenilettiği sırada, Beykoz halkının susuzluk şikâyetleri üzerine, Behruz Ağa tarafından yaptırılan ancak zamanla harap olan çeşmenin tamiri için Sadrazam Seyyid Hasan Paşa'ya emir vermiştir. Sadrazam da bu iş için İstanbul Gümrük Emini İshak Ağa'yı görevlendirmiştir. İshak Ağa, h.1159/m.1746'da çeşmeyi yaptırmış ve kendi adını taşıyan kitabeyi koydurtmuştur (Karakaya 1994: IV. 194).

Meydan çeşmesi olan yapı, sivri kemerlerle birbirine bağlanan dekoratif başlıklı uzun ince sekiz mermer sütunla taşınan geniş saçaklı bir çatıya sahiptir. Çatı altında, büyük bir su haznesi olan yapının suyu, on bronz lüleden sürekli akacak biçimde tasarlanmıştır. Ortadaki iki lülenin çapı diğerlerinden daha büyüktür ve bu iki lüle dilimli kemerli sağır bir niş içindedir. Üst kısmında kitabe vardır. Lülelerin olduğu cephe mermer kaplıdır. Eni altı, boyu sekiz ve yüksekliği dört metre olan yapının duvarları, tavan ve kemer yüzeyleri ve saçak altları kalemişleriyle bezenmiştir.

> Beykoz, Çarşı Meydanında, on lülesinden dolayı Onçeşmeler adıyla da anılan İshak Ağa Çeşmesi'ne İSKİ tarafından 2005-2006'da kapsamlı bir onarım yapılmıştır ve yapı günümüzde çeşme olarak kullanımını sürdürmektedir.

İshak Ağa Çeşmesi (Onçeşmeler)
genel görünüş, 2007.
Fotoğraf: Gül Sarıdikmen

Bir benzeri daha olmayan anıtsal çeşmenin önünde devasa bir çınar ağacı vardır. Yapının iki taraflı mermer basamaklarının üstü uzun yıllar namazgâh olarak kullanılmıştır. Celi sülüs hatlı tek satırlık kitabesi, Edirneli Mehmed Emin Efendi hattıyla yazılmıştır. Çok sayıda onarım geçiren çeşmeye son olarak, İSKİ tarafından 2005-2006'da kapsamlı bir onarım yaptırılmıştır. Yapı günümüzde çeşme olarak kullanımını sürdürmektedir.

Kitabe:

*Sâhib-ül hayrât vel-hasenât
Es-Seyyid İshak Ağa
Emîn-i Gümrük-i Âsitâne 1159*

81

MEHMED BEY ÇEŞMESİ

H.1177/M.1763

~

Beykoz-Paşabahçe arasında, Sultaniye Çayırı'ndadır. Pir Mustafa Paşazade Mehmed Bey tarafından h.1177/m.1763'te yaptırılmıştır. Günümüzde çınarlar arasında kalır ve iki tarafında da namazgâh taşı vardır.

Üzeri basık piramidal çatı örtülü mermer çeşmenin biri geniş ikisi dar üç cephesinde birer mermer tekne vardır. Üç cephesindeki birer oluktan devamlı su akar biçimde kullanımdadır. Dar yüzlerde dalgalı sığ nişler bulunur. Geniş cephedeki oluk, dalgalı kemer formu içinde kalır. Çeşmenin restorasyonu ve çevre düzenlemesi 2005'te İSKİ tarafından yapılmıştır. Boğaz'a bakan geniş cephede, üç sıra ikişer kartuş içinde kitabesi yer alır. Dar cephedeki kartuş içinde "Maşaâllah / Âfiyet bâd" yazılıdır.

Kitabenin tarih beyiti:

*Zebân-ı lülesi atşâna Feyzî dedi târîhin
Zülâl akdı için bu çeşme-i mîr-i mükerremden 1177*

Tanışık (1945: II. 368), çeşmenin bir kitabesi daha olduğunu bildirir.

*Hasodabaşı Halil Ağa vakfından
Olan iş bu çeşme bu defa ihya edilmiştir 1317 (m.1899)*

SİNEPERVER VALİDE SULTAN ÇEŞMESİ

H.1194/M.1780

~

Üsküdar'da Yeni Valide Külliyesi imaretinin köşesinde, külliyenin kuzeye açılan dış avlu kapısının karşısında, Balaban Caddesi üzerindeki kavşaktadır. Sultan IV. Mustafa'nın annesi, Sultan I. Abdülhamid'in ikinci kadını Ayşe Sineperver Valide Sultan tarafından, ölen oğlu Şehzade Ahmed için h.1194/m.1780'de yaptırılmıştır. İmaret duvarına bitişik olarak köşe başında yer alan ve barok üslup özellikleriyle bulunduğu köşeyi yuvarlatan çeşme, üç yüzlüdür. Yapının yol üzerindeki mermer kaplı cephesinin gerisinde su haznesi vardır. Mermer çeşme; geometrik motiflerle süslü dilimli geniş saçak ile saça-

Sineperver Valide Sultan Çeşmesi genel görünüş, 2007. Fotoğraf: Gül Sarıdikmen

ğın üst kısmında çokgen kasnak ve alemli kurşun kaplı kubbeli bir üst örtüye sahipken onarımlar sırasında bu kubbenin yerini iki tarafı kubbeciklerle sınırlandırılmış betonarme tonoz sistemi almıştır (Barışta 1994: VII. 10). Çeşme, 1988'de restore edilmiştir.

Çeşmenin çokgen cephesi, dekoratif başlıklı pilastrlarla üçe bölünür ve orta cephe diğerlerinden biraz geniştir. Başlıklar üzerinden saçağa kadar devam eden üstteki pilastrların yüzeyi kabartma süslemelidir. Saçak altında pilastrlar ve kornişlerle belirlenen dikdörtgen alanlara dekoratif rokoko kartuşlar kabartma olarak işlenmiştir. Akantus yaprağı, istiridye kabuğu, rokay, C motiflerinden oluşan kartuşlardan iki yan cephedekinde Sultan I. Abdülhamid'in tuğrası, ortadakinde ise "Ve sekâhum Rabbuhum şerâben tahûrâ" ayeti ile maşallah yazısı vardır. Kornişle geçilen diğer kuşakta, daha sade kartuşlar içinde, iki yandakinde dörder satır, ortadakinde ise altışar satır kitabe yer alır ve kartuşun altı satırlık kitabenin iki yanında kalan boş yüzeylerine çiçek motifleri işlenmiştir. Kitabe yazarı, Sabih Ahmed Efendi'dir (Haskan 2001: III. 1150). Kartuş içlerindeki kitabeler ve tuğralar, kırmızı zemin üzerine altın yaldızlıdır. Altta silmelerle geçilen ve dikdörtgen olarak beliren yüzeylerde, kademeli dalgalı kemerli sığ nişler ve süslemesiz düz ayna taşları yer alır. Önlerinde tekne ve setleri vardır. Ortadaki tekne dışbükeydir ve tekne ile setlerin dış yüzeylerine kartuş işlenmiştir. Üstteki çokgen kasnak yüzeylerinde de birer kartuş vardır.

Kitabenin tarih beyiti:

Atşâna işrâb eyledin târîh-i itmâmın Sabîh
Merhûm Sultan Ahmed'in nev çeşmesinden mâ-i zülâl 1194

83

MİHRİŞAH VALİDE SULTAN ÇEŞMESİ

H.1206/M.1791

~

Üsküdar Karacaahmet'te, Nuhkuyusu Caddesi'nde Karacaahmet Sultan Türbesi Derneği'nin arkasında, su terazisinin yanındadır. Mihrişah Valide Sultan tarafından ölen kızı Fatma Sultan için h.1206/m.1791'de yaptırılmıştır. Rokoko üsluptaki mermer çeşmenin çokgen planlı su haznesi vardır. Meydan çeşmesi olan yapının taş-tuğla duvarlı çokgen haznesinin ön cephesinde, mermer çeşme cephesi yer alır. Yapının üzeri kiremit kaplı çatıyla örtülüdür.

Mermer cephe, ortada dekoratif başlıklı iki sütun ve iki uçtaki pilaştrlarla üçe ayrılır. İki yandan kademeli olarak öne çıkan orta bölümde, kitabe, niş ve ayna taşı yer alır. İki sütunla belirlenen dikdörtgen alanda, dalgalı kemerli niş kademeli olarak gelişir. Kemerin kilit bölümüne kabartma iştiridye kabuğu motifi işlenmiştir. Sütun başlıkları üzerinde cepheyi yatay olarak bölen kornişle kitabe kuşağına geçilir. Sümbülzade Vehbi'nin üç sütunlu sekiz satırlık kitabe kuşağının iki yanındaki pilaştrlarda akantus motifli konsollar, yanlarda ise yivli gövdeli pilaştrlar devam eder. Oymalı kornişle üşt örtüye geçilir. Rokoko süslemeli niş içinde, ayna taşında yine kabartma olarak iştiridye kabuğu biçimli akantus, iştiridye kabuğu, iki yana kıvrılan akantus yaprakları, S ve C motifleriyle yapılan süsleme öne çıkar. Önünde mermer teknesi ve setleri vardır. Mermer cephenin iki yanında, geriye doğru açılı olarak yer alan taş-tuğla örgülü cephelerde dinlenme yeri olarak tasarlanmış yuvarlak kemerli birer niş yer alır.

Mihrişah Valide Sultan Çeşmesi genel görünüş, 2006. Fotoğraf: Gül Sarıdikmen

Kitabenin tarih beyiti:

Safâ ile akar su gibi ezber etmeğe şâyân
Revândır Fâtıma Sultan rûhuna o âb-ı sâf 1206
Bu aynı etdi cârî bahr-i cûd-i Vâlide Sultan 1206

Mihrişah Valide Sultan, aynı yıl Üsküdar'da benzer bir çeşme daha yaptırmıştır. Çeşme, İhsaniye Mahallesi Tosun Paşa ile Şerife Bey Çeşmesi sokaklarının birleştiği köşede yer alan büyük su hazneli bir köşe çeşmesidir.

SELAMİ ALİ EFENDİ ÇEŞMESİ

H.1215/M.1800

~

Bostancı Bağdat Caddesi üzerinde yer alır. Mermer çeşme, banisi belirsiz olmakla birlikte, h.1215/m.1800'de Şuhi Kadın'ın kethüdası ve sonrasında h.1254/m.1838'de Sultan II. Mahmud tarafından tamir ettirilmiştir.

Bostancı Bağdat Caddesi üzerinde yer alan dikdörtgen çeşme, içinde Sultan II. Mahmud'un tuğrası olan kabartma yapraklarla çevrelenen oval rozetle taçlandırılmıştır.

► *Selami Ali Efendi Çeşmesi genel görünüş, 2012. Fotoğraf: Gül Sarıdikmen*

▲ *Çeşmenin kitabesi ve tepelindeki tuğra*

Dikdörtgen çeşme, içinde Sultan II. Mahmud'un tuğrası olan kabartma yapraklarla çevrelenen oval rozetle taçlandırılmıştır. Kornişlerle geçilen dikdörtgen bölümde; beş tane yıldız kabartması ve alt kısmında iki, altında da altı satır olarak toplam sekiz satırlık kitabe kuşağı vardır. Çeşme aynası düzdür ve musluğun olduğu bölüm kabartma çiçek motifiyle süslüdür. İki yanda, kitabe kuşağının alt bölümünden itibaren düz mermer levhalarla kaplı bölüm önünde, set ve çeşme önünde mermer teknesi yer alır. Son tamiratlarda, önceden üç tekneye sahipken iki yan bölüm önünde, önceden tekne olan bölümler kapatılarak mermer setlere dönüştürülmüştür. Arkasındaki alan namazgâh olarak kullanılırken namazgâh fonksiyonu günümüzde ortadan kalkmıştır.

Şuhi Kadın'ın tamir kitabesinin tarih beyti:

Nûş edene hayat olsun gel iç âb-ı zülâlden
Şifâ olsun gel âb iç çeşme-i musaffâdan 1215

Tamir kitabesinin tarih beyti:

Kalemden reşha-pâş oldukta Zîver gevherîn târih
Tabib usta zülâl-i hayrı icrâ kıldı lûtfiyle 1254

85

SULTAN III. SELİM ÇEŞMESİ

H.1217/M.1802

~

▲

Sultan III. Selim Çeşmesi
genel görünüş, 2013.
Fotoğraf: Gül Sarıdikmen

Üsküdar Çiçekçi'de, Tıbbiye Caddesi ile Harem İskele Caddesi'nin birleştiği köşede, Karacaahmet Mezarlığı'nın 8. Adası karşısında yer alır. Sultan III. Selim tarafından h.1217/ m.1802'de yaptırılmıştır. Çeşme iki sıra tuğla, bir sıra kesme taş dizisiyle yapılan oldukça büyük bir su haznesine sahiptir. Dörtgen haznenin Tıbbiye Caddesi ile Harem İskele Caddesi'nin birleştiği köşe pahlanmış ve pahlı dar cepheye yaklaşık 2/3 yüksekliğe kadar mermer çeşme yerleştirilmiştir. Su haznesi, çeşmenin sağında ve solundaki yan cephelerde derinliği fazla olmayan dörtgen bir nişe ve sol cephenin üst kısmında sivri kemerli küçük iki pencere açıklığına sahiptir. Ampir üsluptaki mermer çeşme, banisi Sultan III. Selim'in tuğrasıyla taçlandırılmış olup bu tuğra günümüzde yoktur (foto için bkz. Tanışık 1945: II. 403).

Ampir üsluptaki mermer çeşmede yer alan, banisi Sultan III. Selim'in tuğrası günümüze kadar gelememiştir.

Dikdörtgen mermer cephe, iki yandan dekoratif pilastrlar ve kornişlerle belirlenir. Pilastrlar, başlıklı ve yivli gövdeli olup ortasına birer rozet işlenmiştir. Pilastrların başlıkları üzerinden devam eden ikinci kat pilastrların yüzeyinde ay ve yıldız kabartması vardır ve kornişler arasındaki dikdörtgen alınlığa Seyyid İhya Efendi tarafından yazılmış (Tanışık 1945: II. 402; Haskan 2001: III. 1161) kitabe yerleştirilmiştir. Altta, pilastrlar ve korniş arasındaki dikdörtgen alanda silmelerle be-

▲

Sultan III. Selim Çeşmesi

lirlenen yuvarlak kemerli niş ve kemer içinde kalan ayna taşında, ampir üslupta iki yana açılan kıvrımlar, kabartma çerçeveli büyük oval bir madalyon ile altında ona birleşen daha küçük bir madalyon süsleme olarak yer alır. Önünde dışbükey mermer tekne ve iki yanında setleri vardır.

Kitabenin tarih beyiti:

Padişaha kıl duâ bu çeşmeden âb iç revân
Cûyibâr-ı himmet icrâ eyledi Sultan Selim 1217

KÜÇÜKSU (MİHRİŞAH VALİDE SULTAN) MEYDAN ÇEŞMESİ
H.1221/M.1806

~

Sadece Boğaziçi'ndeki konumundan dolayı değil, tasarımı ve üslubuyla da İstanbul mimarisinde barok ve ampir üsluplar arasındaki geçiş dönemi bezemesi açısından da örnek bir yapı olan çeşme birçok sanatçıya ilham kaynağı olmuştur.

Küçüksu Çeşmesi, Osmanlı su mimarisinin şaheserlerinden biridir. Sadece Boğaziçi'ndeki konumundan dolayı değil, tasarımı ve üslubuyla da İstanbul mimarisinde barok ve ampir üsluplar arasındaki geçiş dönemi bezemesi açısından da örnek bir yapıdır.

Küçüksu Kasrı'nın hemen yanında yer alan Küçüksu Meydan Çeşmesi, William Henry Barttlet, John Frederick Lewis, Thamos Allom, Josef Warnia-Zarzecki gibi pek çok Batılı sanatçı gibi, Hüseyin Zekai Paşa, Nazmi Ziya, Ahmet Doğuer, Naci Kalmukoğlu başta olmak üzere Türk sanatçıları tarafından da aynı ilgiyle çok sayıda resme konu olmuştur. Gerek yabancı sanatçılar, gerekse Türk sanatçılar tarafından resmedilen yapılardan biri olan çeşme, kuşkusuz, mesire yeri olan Küçüksu'daki konumu, Boğaziçi'ndeki pitoresk görünümüyle sanatçıları etkilemiştir (Sarıdikmen 2007: 587).

▲
Sultan III. Selim tuğrası

Küçüksu Kasrı'ndan 50 yıl önce, h.1221/m.1806'da Sultan III. Selim tarafından, annesi Mihrişah Sultan için hayrat olarak yaptırılmıştır. Dört yüzlü meydan çeşmesidir. Deniz kenarında, basamaklı bir podyum üzerinde yer alan mermer çeşme dörtgen planlıdır ve kurşun kaplı, altta kabartma süslemeli geniş bir saçak, yüksek kasnağa oturan bir kubbe ve dört köşedeki küçük kulelerden oluşan görkemli bir üst örtüye sahiptir. Köşelerinde ince uzun dekoratif sütunların olduğu dörtgenin her yüzünde, yuvarlak kemerli nişler içinde rokoko motifli birer ayna taşı vardır ve cepheler kabartma süslemeli olup, oldukça süslü ve gösterişli olan geniş saçağında da yine çok zengin mermer süslemeler yer alır. Eski fotoğraf ve resimlerinde, basamaklı yüksek bir sofa üzerindeki çeşmenin iki yanında, günümüze ulaşmayan birer namazgâh taşı olduğu görülür. Namazgâh taşlarının yok olmasına rağmen çeşme bakımlı durumdadır.

Fatih Sultan Mehmet Köprüsü'nün inşaatı sırasında, Küçüksu Çayırı'nın şantiye olarak kullanılmasından dolayı bir süre bakımsız kalan çeşme, 2004'te TBMM Milli Saraylar Daire Başkanlığı tarafından Küçüksu Kasrı'nın bahçe duvarları genişletilerek içeriye alınmış ve restore edilmiştir.

▲
Küçüksu (Mihrişah Valide Sultan) Meydan Çeşmesi ve Küçüksu Kasrı'nın genel görünüşü, 2005.

Dört yüzlü meydan çeşmesinin köşeleri pahlanarak ince uzun yuvarlak gövdeli dekoratif birer sütun yerleştirilmiştir. Sütun başlıkları üzerinden tüm cepheleri saran kornişin üst kısmında dörder satırlık kitabe kuşakları sıralanır. İkişer sütun halindeki kitabeler, iki yandan S kıvrımı çizen helezonla sonlanan akantus yapraklı dekoratif süsleme arasında kalır. Denize ve yola bakan cephelerde kitabelerin alt kısmında, kornişle bölünen alanda kabartma olarak C kıvrımlı, akantus yapraklı birer kartuş ve içerisinde Sultan III. Selim'in tuğrası vardır. Kademeli yuvarlak kemerli nişler içinde, akantus ve deniz kabuğu kabartmalı dekoratif ayna taşları ve alt kısımlarında volütlü ayaklara oturan zarif kurnaları yer alır. Sadece yola bakan cephede kurna yerine tekne vardır. Üst kısımlarında kartuş olan yuvarlak kemerli nişlerin iki yanındaki yüzeyler kabartma bitkisel motiflerle süslüdür.

Çeşme nişlerinin üzerinde, Mehmed Said Efendi'nin manzum tarih kitabesi talik bir hatla yer almaktadır.

Kitabenin tarih beyiti:

Bu dil-cû çeşmeye şâyeste, Hâtif, böylebir târih
Küçüksu verdi zîr-i, kıt'a-i elmâsa, zîb-ü fer 1221

SULTAN II. MAHMUD MEYDAN ÇEŞMESİ

H.1226/M.1811

~

Beylerbeyi Camii'nin yanında, deniz kenarındadır. Sultan II. Mahmud tarafından h.1226/m.1811'de yaptırılan meydan çeşmesi, cami yanındaki kahvenin bahçesinde kalır. Dört cepheli sütun çeşmedir.

Sultan II. Mahmud tarafından h.1226/m.1811'de yaptırılan mermer çeşmenin üst kısmında, banisinin tuğrası olan yuvarlak madalyon, tepede deniz kabuğu gibi akantus motifi ve iki yana kıvrılan akantus yapraklarıyla taçlandırılır.

▶

Beylerbeyi'nde Sultan II. Mahmud Çeşmesi genel görünüş, 2007. Fotoğraf: Gül Sarıdikmen

▲

Sultan II. Mahmud'un tuğrası ve akantus yapraklı süslemeler

Tamamen mermerden yapılan dörtgen çeşmenin iki yüzünde musluk vardır ve önünde bir cephede dışbükey tekne, diğer cephede ise kurna yer alır. Çeşmenin iki yan cephesi düz, diğer cepheleri dışbükeydir ve bu dışbükey cepheler kenarlarda pilastrlarla sınırlandırılır. Çeşmenin dört cephesinde de kitabe kuşağı vardır. Şair İzzet Molla tarafından yazılan kitabenin tarih beyti yan cephededir. Çeşmenin üst kısmındaki Sultan II. Mahmud'un tuğrası olan yuvarlak madalyon, tepede deniz kabuğu gibi akantus motifi ve iki yana kıvrılan akantus yapraklarıyla taçlandırılır. İki yanda da yüksek ayaklı vazolardan çıkan ve iki yana kıvrılan oldukça dekoratif akantus yapraklı, adeta heykele dönüşen kabartmalarla süslenmiştir. Arka cephede de aynı süsleme yer alır.

Kitabenin tarih beyti:

Bihakk-ı Merve yokdur bir sözüm İzzet bu târîhe
Safâ-yı bâl ola iç zemzeminden Han Mahmûdun 1226

HAFIZ İSA AĞA ÇEŞMESİ
H.1226/M.1811

~

Üsküdar Karacaahmet'te, Doktor Eyüp Aksoy Caddesi üzerinde, Miskinler Tekkesi Sokağı'ndadır. Sultan II. Mahmud'un hazinedarı Hafız İsa Ağa tarafından h.1226/m.1811'de yaptırılmıştır. Tek yüzlü hazneli meydan çeşmesidir. Kesme taştan, oldukça büyük dörtgen bir su haznesine sahip olan yapının yola bakan ön cephesinde orta kısımdaki mermer çeşme bölümü cephe boyunca yükselir. Yapının üzeri dört yöne eğimli kırma çatıyla örtülüdür ve mermer alem vardır. 1970'li yıllarda yarıya kadar toprağa gömülmüş durumda olan ve tahribe uğrayan yapı, 1998'de Üsküdar Belediyesi tarafından yenilenmiş ve günümüzdeki görünümüne kavuşturulmuştur.

Hafız İsa Ağa Çeşmesi genel görünüş, 2007. Fotoğraf: Gül Sarıdikmen

▼

Çeşme ampir üsluptadır. Taş duvar yüzeyinde orta bölümde yer alan dikdörtgen mermer cephe, iki yandan başlıklı düz pilastrlarla belirlenir. Üstteki kitabe, bağlı olduğu duvar yüksekliğini aşmaktadır. Çeşme genişliğince yükselen kitabe dokuz satır, otuz dört mısradır. Enderuni Vasıf Osman Bey tarafından söylenen kitabe, ünlü hattat Mustafa Rakım Efendi hattıyla yazılmıştır (Haskan 2001: III. 1074). Kitabe üzerinde günümüze ulaşmayan alınlıkta, içinde Sultan II. Mahmud'un tuğrası olan bir madalyon ve pilastrlar üzerinde çam kozalağı gibi tepelikler yapıyı taçlandırıyordu. (Haskan 2001: III. 1074). Süheyl Ünver'in 1957 ve 1970 tarihli iki resminde (Ka-

Hafız İsa Ağa Çeşmesi genişliğince yükselen kitabe, dokuz satır, otuzdört mısradır. Enderuni Vasıf Osman Bey tarafından söylenen kitabe, ünlü hattat Mustafa Rakım Efendi hattıyla yazılmıştır.

ra-Pulcu 1996: 230-231), çeşmenin üzerinde bu alınlık ve tuğralı madalyon görülebilmektedir (Sarıdikmen 2004: 164). Tanışık'ın *İstanbul Çeşmeleri* kitabındaki yapının fotoğrafında da alınlık ve madalyon seçilebilmektedir, ancak Tanışık (1945: II. 408, 411) yapıdan Balim Ağa Çeşmesi adıyla bahseder.

Kitabenin altından korniş ve pilastrlarla belirlenen dikdörtgen bölümde, kademeli kemer nişi ve istiridye kabuğu, akantus yaprağı ile C motiflerinden oluşan yüksek kabartmalı ayna taşı yer alır. Önünde düz mermer teknesi vardır.

Hafız İsa Ağa Çeşmesi kitabesi

Kitabenin tarih beyiti:

Oku Vâsıf su gibi târîh-i cevher-mâyesin
Gel su iç kıl Hakk'a hamd işte mu'allâ çeşmesâr 1226

89

KANDİLLİ İSKELE (SULTAN II. MAHMUD) ÇEŞMESİ
H.1232/M.1816

~

Kandilli İskele Meydanı'ndadır. Sultan II. Mahmud tarafından h.1232/m.1816'da yaptırılmıştır. İki yüzlü meydan çeşmesidir.

Kandilli'de İskele Meydanı'nda bulunan çeşmenin ayna taşının üst kısmında, Sultan II. Mahmud'un tuğrası ve h.1232 tarihi yer alır.

Kandilli İskele (Sultan II. Mahmud) Çeşmesi genel görünüş, 2006. Fotoğraf: Gül Sarıdikmen

Dörtgen sütun biçimli mermer çeşmede, dörtgen gövdenin üstünde yapının sadeliğine uygun bir tepelik yükselir. Ayna taşının üst kısmında, Sultan II. Mahmud'un tuğrası ve h.1232 tarihi yer alır. Denize ve karaya bakan geniş cephe yüzlerinde, yarım yuvarlak sütun görünümlü ayağa oturan kurna ve musluğa sahiptir.

▲
Kandilli İskele (Sultan II. Mahmud) Çeşmesi Sultan II. Mahmud'un tuğrası

90

BERBERBAŞI ALİ AĞA ÇEŞMESİ

H.1238/M.1822

~

Çubuklu-Kanlıca yolunda, Seyir ve Hidrografi Dairesi yanında, deniz kenarındadır. Sultan II. Mahmud'un Berberbaşı Ali Ağa tarafından h.1238/m.1822'de yaptırılmıştır. Günümüzde oldukça bakımlı durumda olan çeşme 2004'te restore edilmiştir.

Sultan II. Mahmud'un berberbaşısı Ali Ağa tarafından yaptırılan çeşmenin ön cephesinde, düşey eksende iki pilastr arasında düz ayna taşı ve pilastrları kesen iki silme kuşak arasında, Keçecizade İzzet Mehmed Efendi'ye ait beş satırlık kitabe yer alır.

◄

Berberbaşı Ali Ağa Çeşmesi genel görünüş, 2007. Fotoğraf: Gül Sarıdikmen

Çeşmenin Boğaziçi'ne bakan ön cephesi mermer kaplıdır. Su haznesi olan yapının yan cepheleri ve arka cephesi taş ve tuğla örgülüdür. Tekne ve setleriyle oldukça sade olan çeşme cephesi, üçe bölünmüş ve geriye doğru açılı iki yan cephesi, düz mermer panolarla kaplanmıştır. Düşey eksende iki pilastr arasında düz ayna taşı ve pilastrları kesen iki silme kuşak arasında, Keçecizade İzzet Mehmed Efendi'ye ait beş satırlık kitabe yer alır. Yapının üst kısmı, içinde Sultan II. Mahmud'un tuğrası olan oval madalyonun olduğu yarım yuvarlak kemerle taçlandırılır. Kitabenin tarih beyiti:

▲
Berberbaşı Ali Ağa Çeşmesi Sultan II. Mahmud'un tuğrası ve kitabe

Dil-cû değil mi tarih-i İzzet
Ayn-ı Ali'den hemçu Kevser 1238

.183.

SULTAN II. MAHMUD ÇEŞMESİ

H.1247/M.1831

~

Bostancı Bağdat Caddesi'nde, meydanda yer alan çeşmenin ayna taşında kitabenin üst kısmına, tepesi fiyonklu kabartma çerçeve oval madalyonda Sultan II. Mahmud'un tuğrası ile iki yandaki birer oval madalyona da hilal ve çiçek görünümlü yıldız kabartması işlenmiştir.

Sultan II. Mahmud Çeşmesi genel görünüş, 2012. Fotoğraf: Gül Sarıdikmen

▼

Bağdat Caddesi'nde, meydanda yer alır. Önceden Bostancı'da karakol yanındaki meydandaydı. Sultan II. Mahmud tarafından h.1247/m.1831'de yaptırılmıştır. Bu alanda bir de namazgâh vardı. Çeşme, namazgâhın mihrap taşıyla birlikte 1982'de şimdi bulunduğu yere nakledilmiştir. Reşad Ekrem Koçu (1963: VI. 2999-3000), çeşmeden üçüzlü menzil çeşmesi olarak Bostancıbaşı Derbendi Çeşmesi adıyla bahseder ve çeşmenin eski yerindeyken önünde tekne olan asıl çeşmenin iki yanında, birinde tek, diğerinde üç lüle ve önlerinde uzun birer yalak ile hayvanların sulanması ihtiyacını da karşılayan üç yüzlü çeşme olduğunu bildirir. Tanışık'ın (1945: II. 429-430) *İstanbul Çeşmeleri* kitabında da çeşmenin yanındaki yalaklarıyla eski görüntüsü yer alır. Yan bölümler günümüze ulaşmamıştır.

Dikdörtgen çeşmenin üst köşeleri yuvarlatılmıştır. Üstte bir tepelik ve bu alanda küçük bir kitabe vardır. Ayna taşında kitabenin üst kısmına, tepesi fiyonklu kabartma çerçeve oval madalyonda Sultan II. Mahmud'un tuğrası ile iki yandaki birer oval madalyona da hilal ve çiçek görünümlü yıldız kabartması işlenmiştir. Altta şair Rif'at'ın beş satırlık kitabe kuşağı vardır. Önüne mermer bir tekne yerleştirilmiştir.

Üstteki kitabe:

*Bânîsi Mahmûd-ı adlî Gâzî Hân
Bendesi binâ-i şeref kıl bi-yed-i ihsân 1247*

Kitabenin tarih beyiti:

*Cevherîn târîh-i dil-cû yazdı Rif'at bendesi
Kıldı Hân-ı Mahmûd-ı adlî çeşmeden cûdun revân sene 1247*

92

SULTAN II. MAHMUD ÇEŞMESİ (KURU ÇEŞME)

H.1248/M.1832

~

Üsküdar Bülbülderesi-Bağlarbaşı yolunda yer alır. Uzun süre suyu akmadığı için Kuru Çeşme olarak bilinir ve bulunduğu bölgeye de adını vermiştir. Sultan II. Mahmud tarafından h.1248/m.1832'de yaptırılmıştır.

Tek yüzlü meydan çeşmesidir. Taş duvarlı büyük dörtgen su hazneli yapının yola bakan cephesinin orta bölümünde, mermer çeşme aynası ve kitabesi bulunur. Uzun süre harap halde kalan yapı, 1987'de Üsküdar Belediyesi tarafından onarılmıştır.

Ampir üsluptaki yapı, sade bir cephe düzenlemesine sahiptir. İki yandan pilastrlarla ve üstten kornişle belirlenen dikdörtgen mermer cephede, üstte beş satırlık dikdörtgen kitabe kuşağı vardır. Kitabe yazarı, Mehmed Lebib Efendi'dir (Haskan 2001: III. 1155-1156) ve Yesarizade Mustafa İzzet Efendi tarafından talik hatla yazılmıştır. Ayna taşı dikdörtgen olarak belirir. Önünde tekne ve setleri yer alır.

Kitabenin tarih beyti:

Lebibâ akdı âb-ı sâf-ı tarihin ider işrâb
Mücedded Han Mahmud eyledi bu çeşmeyi ihyâ 1248

Uzun süre suyu akmadığı için Kuru Çeşme olarak bilinen ve bulunduğu bölgeye de adını veren yapı 1987'de Üsküdar Belediyesi tarafından onarılmıştır.

▲

Sultan II. Mahmud Çeşmesi (Kuru Çeşme)

MUSTAFA PAŞA ÇEŞMESİ

H.1257/M.1841

~

Beykoz Paşabahçe'de, meydandaki parkın içinde yer alan sütun çeşme, tepesindeki lahana kabartmasından dolayı Lahanacılar Bölüğü'nü sembolize eder.

Beykoz Paşabahçe'de, meydandaki parkın içindedir. Mustafa Şerif Paşa tarafından h.1257/m.1841'de yaptırılmıştır. Sütun çeşmedir.

Dörtgen sütun çeşmenin tepesinde mermerden heykel gibi lahana tepelik yer alır. Mermer kaideye oturan çeşmenin meydana bakan cephesinde yine mermerden küçük dörtgen teknesi vardır. Dörtgen sütunun köşeleri, burmalı gövdesi olan volütlü başlıklı zarif ince sütunçelerle hareketlendirilmiştir. Üst kısmında, dört cepheye de hilal ve yıldız çiçek kabartması işlenmiştir. Musluk olan ön yüzünde yedi satırlık kitabesi ve tarihi görülür. Kitabe Sermet Mehmed Efendi tarafından söylenmiştir (Tanışık 1945: II. 438).

Kitabenin tarih beyiti:

Su gibi ezberleyip Sermet kulu tarihini
Mustafa Paşa akıttı zemzem âsâ ab-ü nab 1257

Mustafa Paşa Çeşmesi genel görünüş, 2007.
Fotoğraf: Gül Sarıdıkmen

▼

Çengelköy'de, h.1270/m.1854 tarihinde yaptırılan Kavasbaşı Ahmed Ağa (Lahana) Çeşmesi gibi bu çeşme de tepesindeki lahana kabartmasından dolayı Lahanacılar Bölüğü'nü sembolize eder.

BABA OĞUL ÇEŞMESİ
H.1260/M.1844

~

Kadıköy Acıbadem yolunda, Köftüncü Sokağı girişinde yer alır. Sultan Abdülmecid'in Darüssaade Ağası Tayfur Ağa ile manevi oğlu Sermuhasib Besim Ağa tarafından h.1260/m.1844'te yaptırılmıştır. Çeşmenin kitabesinde, Tayfur Ağa ile manevi oğlu Besim Ağa geçtiği için birlikte yaptırdıkları bu çeşme, Baba Oğul Çeşmesi adıyla bilinir. Ampir üslupta, tek yüzlü meydan çeşmesidir.

▲
Baba Oğul Çeşmesi alınlıkta madalyon ve tepelik

◄
Baba Oğul Çeşmesi genel görünüş, 2012. Fotoğraf: Gül Sarıdikmen

▲
Baba Oğul Çeşmesi'nin kitabesi

Taş-tuğla duvarlı dörtgen büyük haznesi olan yapının ön cephesinde alınlık, kitabe ve mermer ayna taşı vardır. Dörtgen cephede iki uçta başlıklı pilastrlar yer alır. Korniş üzerinde dalgalı bir alınlığa sahiptir. Alınlıkta, iki uçta birer güneş motifi ve aralarında oval çerçeveli içi boş bir madalyon kabartması vardır. Madalyonun üst kısmında yarım yuvarlak tepelik oluşturan düzenleme, antik Roma palmeti formudur. Ortada büyük bir yaprak ve iki yanından simetrik olarak çıkan ucu içe kıvrık yapraklar vardır. Bu alınlık düzenlemesi, antik Yunan tapınaklarındaki akroterleri hatırlatır. Çeşmenin alınlık altındaki yüzeyinde süsleme yoktur. Ortada beş satırlık kitabe panosu ve alt kısmında düz mermer ayna taşı ile önünde tekne ve setleri yer alır. Beş beyitlik kitabe Nazif Mehmed Efendi'ye aittir (Tanışık 1945: II. 440).

Kitabenin tarih beyiti:

Tarihin bende Nazif cevher didim anber gibi
Kıldı irva yek-kadem baba oğul bu zemzem 1260

Çeşme, önceden şimdi bulunduğu yerin karşısında yer alıyordu. 2007'de Kadıköy Belediyesi tarafından restore edilmiştir.

95

KAVASBAŞI AHMED AĞA (LAHANA) ÇEŞMESİ
H.1270/M.1853

~

Yeniçerilerin meyve, kuş, bostan, balık gibi isimler alan bölüklerinden Lahana Bölüğü'ne ait olduğu rivayet edilen çeşme, yeniçeriliğin kaldırılmasından sonra geride kalan nadir hatıralardan biridir.

Kavasbaşı Ahmed Ağa Çeşmesi genel görünüş. Fotoğraf: Gül Sarıdikmen
▼

Çengelköy İskele Meydanı'nın hemen yanında, Polis Karakolu önünde yer alır. Yeniçelerin meyve, kuş, bostan, balık gibi isimler alan bölüklerinden Lahana Bölüğü'ne ait olduğu rivayet edilir. Sultan II. Mahmud'un yeniçeriliği kaldırması ve mezar taşlarını kırdırmasından sonra geride kalan nadir hatıralardan biridir. Kavasbaşı Ahmed Ağa tarafından h.1270/m.1853 tarihinde yaptırılmıştır. Sütun çeşmedir.

Mermerden sütun çeşmenin üst kısmında, heykel gibi kabartma lahana biçimli tepeliği vardır. Sütun çeşmenin silindir gövdesi yivlidir ve profilli geçişle tepeliğe geçerken yivli gövde daha dar olarak şekillendirilmiştir. Musluğun üst kısmında dikdörtgen içinde tek satırlık kitabesi vardır.

Kitabenin tarih beyiti:

Sahib-ül hayrat Serkavas Ahmed Ağa
sene 1270

Çeşmenin 1970 yılındaki fotoğrafında (Egemen 1993: 61), önünde çokgen planlı küçük mermer bir kurnası olduğu görülürken günümüzde yol seviyesinin altında kalmıştır.

ŞEYHÜLİSLAM ARİF
HİKMET BEY SEBİLİ VE ÇEŞMESİ
H.1275/M.1858

Üsküdar Nuhkuyusu Caddesi üzerinde, Kartal Baba Camii'nin sol tarafında yer alır. Sebil, 105. Osmanlı Şeyhülislamı Arif Hikmet Bey tarafından h.1275/m.1858'de yaptırılmıştır. Sebil ve ilerisindeki çeşmenin kitabesi yoktur. Şeyhülislam Arif Hikmet Bey Sebili, cephe sebilleri grubuna giren ampir üslupta bir yapıdır. Sebilin hemen yanında, içinde Arif Hikmet Bey'in de mezarının bulunduğu bir hazire vardır. Nuhkuyusu Caddesi ve Kartal Baba Caddesi'nin birleştiği köşede hazire ve iki caddenin birleştiği pahlı köşesinde mermer çeşme yer alır. Dikdörtgen alınlığında Sultan Abdülmecid'in tuğrası (Haskan 2001: III. 1172) olması gereken ancak şimdi silinmiş bir madalyon kabartması bulunan dikdörtgen çeşme cephesi, yivli gövdeli iki pilaŝtrla belirlenir ve aradaki dikdörtgen bölüme, üŝtte perde motifleri ve musluk tablasına bir rozet işlenmiştir. Önündeki tekne ve set yol seviyesinin yukarısında kalır.

▲

Şeyhülislam Arif Hikmet Bey Sebili genel görünüş, 2007. Fotoğraf: Gül Sarıdikmen

Cephe sebilleri grubuna giren yapı, bağlı bulunduğu duvardan yarım yuvarlak olarak dışa taşar. Yapının üzeri çimento sıvalı bir kubbeyle örtülüdür ve arkasında dörtgen planlı su haznesi vardır. Dışa taşkın ön cephesi ve içbükey-dışbükeylerle hareketlendirilmiş iki yan duvar tamamen mermer kaplıdır. Bu duvarlarda dikdörtgen mermer söveli ve ampir karak-

▲

Şeyhülislam Arif Hikmet Bey Sebili ve Çeşmesi. Ressam Hoca Ali Rıza, Nuh Kuyusu'nda Şeyh-ül İslam Arif Efendi Türbesi, kağıt üzerine suluboya, Yapı ve Kredi Bankası Resim Koleksiyonu. (Hoca Ali Rıza, s. 81.)

Şeyhülislam Arif Hikmet Bey Sebili.
Ömer Faruk Şerifoğlu Arşivi

terli demir şebekeli birer pencere yer alır. Pencere sövelerinin köşe noktalarına kabartma olarak birer çiçek işlenmiştir. Sebil cephesi pilaştırlarla üçe bölünmüş ve her bölümde üç pencere açıklığı oluşturulmuştur.

Sebilin etek bölümü pilaştrlarla bölümlenmiş ve aralardaki mermer panolara iki sıra dalgalı bir bordürün çevrelediği yatay dikdörtgen çerçeveye dilimli rozet biçiminde bir çiçek motifi kabartma süsleme olarak yapılmıştır. Çerçevenin dört köşesine kareler içine birer çiçek motifi işlenmiştir. Silmelerle geçilen tezgâh üzerinde yer alan pilaştırlar arasında dikdörtgen açıklıklı pencereler yer alır. Pencerelerin üst kısmında yine silmelerle geçilen ve kabartma akantus yaprağı motifi pilaştırların ayırdığı dar bir kuşak vardır. Üstte ise mermerden düz bir alınlık devam eder. Arkada kalan diğer cephelerde herhangi bir süslemeye yer verilmemiş ve duvarlar küfeki taşından yapılmıştır.

Sebilin günümüzde metal doğrama camlı pencerelerle kapatılmış olan pencere açıklıklarında şebeke yoktur. Ancak, Hoca Ali Rıza ve Üsküdarlı Cevat gibi Üsküdarlı iki ressam tarafından resmedilen yapının resimlerinde bu pencerelerde şebekeler seçilebilmektedir. Resimlerde, altta sütun kemer sisteminden oluşan su verme açıklıkları da görülen madeni şebekeler vardır (Sarıdikmen 2007: 626-630; 2008: 589-593). Resimde yol seviyesindeki yapı, günümüzde yol seviyesinden oldukça yukarıda kalmıştır. Bir podyum üzerinde yer alır ve önüne de büyük bir otobüs durağı yerleştirilmiştir.

105. Osmanlı Şeyhülislamı Arif Hikmet Bey tarafından h.1275/m.1858'de yaptırılan sebilin hemen yanında, içinde Arif Hikmet Bey'in de mezarının bulunduğu bir hazire vardır.

▲

*Şeyhülislam Arif Hikmet Bey Çeşmesi genel görünüş, 2006.
Fotoğraf: Gül Sarıdikmen*

97

YUSUF ZİYA PAŞA ÇEŞMESİ
H.1279/M.1862

~

Çengelköy'de, Hamam Çeşmesi Sokak'ta, köşede yer alır. Hamam Çeşmesi de denilir. Kitabesine göre, h.1279/ m.1862'de Yusuf Ziya Paşa tarafından vefat eden eşi için yaptırılmış, daha sonra Ayyadzade ve Mahmud Paşa tarafından tamir ettirilmiştir. Taş-tuğla duvarlı dörtgen hazne önünde, mermer köşe çeşmesidir. İlkçağ Yunan tapınaklarını hatırlatan üçgen alınlığıyla 19. yüzyıl neoklasik/ampir üslup etkilidir.

Dörtgen haznenin sokağa bakan pahlı köşesindeki mermer çeşme, iki düz pilaştrla belirlenen dikdörtgen bölüm üzerinde üçgen alınlıklıdır. Üçgen alınlıkta, etrafı yaprak

Yusuf Ziya Paşa Çeşmesi,
genel görünüş, 2012.
Fotoğraf: Gül Sarıdikmen

Yusuf Ziya Paşa Çeşmesi, kitabe
ve Sultan II. Mahmud'un tuğrası

motifleriyle çevrili oval çerçeve içinde Sultan II. Mahmud'un tuğrası vardır. Oval madalyonla üçgen alınlığın tepe noktası arasındaki boşlukta, dekoratif üç yapraklı yonca biçiminde bir kurdele motifi görülür. Dışa çıkıntı yapan alınlığın alt kısmında, iki sütun halinde altı satırlık kitabe yer alır. Kitabenin iki yanındaki dörtgen panolara, birer daire içine ay ve sekiz kollu yıldız işlenmiştir. Kitabenin altındaki kornişle belirlenen dikdörtgen nişte, ayna taşı ortasından ters palmet sarkan kemerli bir düzenlemeye sahiptir. Önündeki teknesi ve seti günümüze ulaşmamıştır. Tekne olması gereken yer yol seviyesinin altındadır.

Kitabenin tarih beyiti:

*İnci gibi nazm eyledim târîh-i dil-cûsun Fatîn
Mahmud Paşa hayrıdır bu çeşme-i âb-ı revân 1279*

HÜSEYİN AVNİ PAŞA (PAŞALİMANI) ÇEŞMESİ
H.1291/M.1874

~

Üsküdar Paşalimanı'ndaki abidevi Hüseyin Avni Paşa Çeşmesi, İstanbul ve Boğaziçi'nin en büyük duvar çeşmesidir. Bir set önünde yer alır ve üst kısmında bahçe vardır. Serasker Hüseyin Avni Paşa tarafından h.1291/m.1874'te yaptırılmıştır.

İstanbul ve Boğaziçi'nin en uzun duvar çeşmesi olan yapı, yan bölümlere kavisli olarak bağlanan ve ortada hareketlilik kazandıran asıl çeşme bölümü barok-rokoko özellikleri gösterirken ve yan kanatlardan daha öndedir.

◄

Hüseyin Avni Paşa (Paşalimanı) Çeşmesi 2007. Fotoğraf: Gül Sarıdikmen

Uzun iki yan bölüm ve ortada yan bölümlerden daha yüksek olan ve biraz öne çıkan asıl çeşme bölümüyle oldukça gösterişli bir yapıdır. Çeşmenin diğer yan kanatlardan daha yüksek olan bu bölümüne mermer bir saçak yerleştirilmiştir. İki yanındaki on bölümde musluk ve kitabe yoktur. Sadece ortadaki çeşme muslukludur ve buradaki tekneden yandaki teknelere su akışı sağlanmıştır. Yapının iki yanındaki musluksuz yan bölümleri ampir tarzda ve sadedir. Yan bölümlere kavisli olarak bağlanan ve ortada hareketlilik kazandıran asıl çeşme bölümü barok-rokoko özellikler gösterir ve yan kanatlardan

daha öndedir. Ortadaki dışbükey çeşmenin beş satırlık kitabesi altında, iki yuvarlak sütuna oturan kademeli dalgalı kemerli niş içerisinde deniz kabuğu, akantus ve içi boş yuvarlak madalyon kabartmalı dekoratif ayna taşı vardır. İki yanda, daha alçak olan pilastrlar ve iki sıra kornişle bölümlenen yan kanatlar beşer bölmelidir. Düz ayna taşları musluksuzdur ve önlerinde tekneleri vardır.

Hüseyin Avni Paşa (Paşalimanı) Çeşmesi genel görünüş, 2007. Fotoğraf: Gül Sarıdikmen

Hüseyin Avni Paşa, burada var olan eski bir çeşmeyi şimdiki haliyle yeniletmiştir. Ahmed Muhtar Efendi'nin yazdığı beş satırlık kitabede, çeşmenin tarihi iki defa belirtilir.

Kitabenin tarih beyiti:

Akıtdı Muhtar iki târîh-i selâmet intimâ
Avni Paşa eyledi ihya şu a'lâ çeşmeyi 1291
Gel Hüseyin aşkıyla iç bu çeşmeden âb-ı safâ 1291

BULGURLU KÖYÜ ÇEŞMESİ

H.1292/M.1875

~

Üsküdar Bulgurlu'da, Bulgurlu Hamamı ve Bayram Paşa Camii'nin yanındadır. Teberdar Mehmed Ağa Çeşmesi (Haskan 2001: III. 1055) olarak da adlandırılır. H.1292/ m.1875'te yaptırılan çeşmenin banisi bilinmemektedir. Ampir üsluptadır. Kesme taştan yapılan çeşmenin arkasında, taş ve tuğla hatıllı haznesi vardır. Cephesinde, iki yanda başlıklı yarım sütunlar ve üst kısmında sütun başlıkları üzerinde çıkıntı yapan kornişler üzerinde düz alınlıklı ikinci bir kornişle taçlandırılır. Derinliği fazla olmayan dikdörtgen niş içinde kitabe ve ayna taşı vardır. Çeşme aynası, kabartma olarak uçları kıvrımlı sırt sırta C motifleriyle süslüdür. Önünde teknesi ve iki yanda set devam eder.

Çeşme kitabesinde ayet ve tarih yazılıdır.

Kaal-Allahu teâla ve sekahum Rabbuhum şerâben tahûrâ sene 1292

Çeşmenin yanında bir yalak daha varken buraya düz mermer kaplamalı sade bir çeşme daha yapılmış ve son yıllarda yıktırılmıştır.

▲

Bulgurlu Köyü Çeşmesi genel görünüş, 2006. Fotoğraf: Gül Sarıdikmen

Üsküdar Bulgurlu'da, Bulgurlu Hamamı ve Bayram Paşa Camii'nin yanında yer alan ve h.1292/m.1875'te yaptırılan çeşme ampir üsluptadır.

▲

Bulgurlu Köyü Çeşmesi'nin ayna taşı

KISIKLI ÇEŞMESİ

H.1333/M.1914

~

Osmanlı'nın son dönemindeki klasik mimari örneklerinden olan ve bu üslubu yeniden yaşatma isteğini doğrudan yansıtan çeşme, suyunu Büyük Çamlıca Tepesi eteklerinden alır ve bugün kullanılır durumdadır.

Üsküdar Kısıklı'da, Abdullah Ağa tarafından yaptırılan Kısıklı/Abdullah Ağa Camii'nin köşesinde, ana cadde üzerinde yer alır. H.1333/m.1914 tarihli çeşme, Osmanlı'nın son dönemindeki klasik mimari örneklerinden biridir. I. Ulusal Mimarlık Dönemi örneğidir ve klasik Osmanlı üslubunu yeniden yaşatma isteğini doğrudan yansıtır (Ödekan 1992: 286). Kitabedeki tarih çeşmenin yenilenme tarihidir. Suyunu Büyük Çamlıca Tepesi eteklerinden alır ve bugün kullanılır durumdadır.

Kaynaklarda çeşmenin ilk olarak Kısıklı Camii'ni yaptıran Sultan III. Murad'ın Bostancıbaşısı Abdullah Ağa (Konyalı 1977: II. 60; Çeçen 1991: 139) ya da Çelebi Sultan Mehmed'in şeyhi olan İvaz Fakih Efendi (Haskan 2001: III. 1102) tarafından yapılmış olma ihtimali belirtilir. Eski resimlerde, bugünkü çeşmenin olduğu yerde klasik üslupta geniş saçaklı başka bir çeşme olduğu görülür (Sarıdikmen 2007: 582-586; 2008: 576-579).

Son dönem Osmanlı çeşmelerinden olan yapı, sivri kemeri ve süsleme özelikleriyle klasik üsluba dönüş yapar. Dikdörtgen tek yüzlü mermer çeşmedir. Mermerden piramidal küçük bir çatısı vardır. Dikdörtgen cephede, üstte kabartma palmer süslemeli bordür ve mukarnaslı korniş altındaki alınlıkta, kabartma üç rozet yer alır. Çeşmenin her iki köşesi, kum saati biçiminde ince uzun sütunlarla yuvarlatılmıştır. Silmelerle çevrelenen dikdörtgen alanda, kartuş içinde Ömer Vasfi tarafından sülüs hatla "Ve cealnâ minel mâi külle şey'in hayy" ayeti yazılıdır. Çeşme nişi, iki renkli mermerden basık sivri kemerlidir ve köşelikte birer kabara vardır. Düz mermer levha halindeki ayna taşında süsleme yoktur. Önündeki mermer teknesi yol seviyesinin altındadır.

Kısıklı Çeşmesi genel görünüş,
2006. Fotoğraf: Gül Sarıdikmen

SÖZLÜK

Ayna taşı: Çeşme cephesinde, çeşme nişi içinde ayna taşı yer alır. Lüle ya da musluk takılmak üzere, üzerinde delik açılan süslemeli levhadır.

Cephe sebilleri: Yapıların cephelerinde ya da külliye duvarlarında yer alan sebillerdir.

Çatal çeşme: Sokağın iki köşesinde, iki ya da üç cepheli olarak tasarlanmış çeşmelerdir.

Çeşme: Farsça göz anlamındaki çeşm kelimesinden gelen çeşme terimi, su akıtılan yapılar anlamına gelir. Arapça göz anlamına gelen ayn kelimesi de 13. ve 17. yüzyıllarda çeşme yerine kullanılmıştır.

Çeşmecik: Bazı çeşmelerde, hazne köşelerinde veya çeşme kemerinin iki yanına musluk, lüle seviyelerinden daha yukarıya, insanların rahat su içmelerini sağlayacak çeşmecik yerleştirilmiştir. Bu dekoratif çeşmeciklerin de önlerinde küçük kurna ya da tekne vardır. Bunlar, su içme muslukları olarak da tanımlanmışlardır.

Çeşme nişi: Musluğun olduğu bölümü, diğer alanlardan ayırır. Çeşme nişini çoğunlukla kesme taş, tuğla ya da mermer kemer belirler.

Çoban çeşme: Genellikle açık arazideki çeşmelere verilen isimdir. Hayvanların su ihtiyacını gidermek için çok sayıda yalakları vardır.

Çukur çeşme: Bulundukları yer itibariyle çevrelerine göre zemin seviyesinin altında kalan çeşmelerdir. Çukurda kaldıkları için basamaklarla inilir.

Duvar/cephe çeşmesi: Duvar yüzeylerinde yer alan çeşmelerdir. Sıbyan mektebi, kütüphane, cami avlusu ya da tekke avlusu, türbe, hazire duvarı gibi önemli yapıların ve evlerin duvarlarında örnekleri görülebilir.

Hazne: Çeşmelerde, suyun depolandığı bölümlere denilir. Kapalı hazne bölümünün üzerinin düz tasarlanıp namazgâh olarak kullanılmış örnekleri de vardır.

Hazne örtüsü: Çeşmelerde kapalı hazne bölümü üzerinde yer alan çatı örtülü ya da düz tasarlanmış bölümdür.

Kemer: Çeşmelerin cephe tasarımında belirleyici mimari elemandır.

Kitabe: Yapının bânisi (yaptıran kişi), yapım tarihi ve yapılış amacı gibi bilgiler veren ya da ayetler yazılı levhalardır. Genellikle, kemer alınlığı olarak geçen kemerin üst kısmındaki bölümde ya da niş içinde ayna taşının üst kısmında yer alır.

Köşelik: Çeşme ve sebillerde, nişi belirleyen kemerin üzerindeki bölümlerdir. Niş kemeri ile üzerindeki kitabe bölümü arasında kalan köşelik bölümüne bazı örneklerde simetrik birer rozet yerleştirilmiş ve bazıları, dönemin zevkine uygun motiflerle süslenmiştir.

Köşe sebilleri: Cadde ya da sokak köşelerinde ya da külliye duvarlarında köşelere yerleştirilmiş, dışa taşan sebillerdir.

Lüle: Çeşmelerde, suyun aktığı yere takılan madeni borudur. Su kaynaklarının yeterli olduğu çeşmelerde suyun kesintisiz akışını sağlar. Buna karşılık, suyun yeterli olmadığı yerlerde ve su haznesindeki suyun boş yere akmasını engellemek için bu lülelere zaman içinde suyu kesmeye yarayacak tapalar eklenerek burmalı lüle olan ilk musluklar oluşturulmuştur. Lüle, aynı zamanda Osmanlı'da su ölçü birimi olarak kullanılmıştır.

Maşrapa/Tas: Genellikle bakır gibi madenden yapılmış, su içmede kullanılan kap türü. Kulpunda takılı olan bir zincirle çeşme nişindeki halkaya bağlıdır. Bazı çeşmelerde, bunların konulacağı tas nişi/ maşrapa yuvası vardır.

Menzil çeşmesi: Şehirlerarası yollar, kervan yolları ve diğer konaklama yerlerinde yer alan, yolcuların ve hayvanların su ihtiyacını karşılamak üzere, lülelerinden sürekli su akan ve yanlarında hayvanların sulanması için yalak/savak bulunan çeşmelerdir.

Meydan çeşmesi: Şehirlerde, önemli merkezlerde, çarşı ya da iskele meydanlarında yer alan, serbest konumda inşa edilmiş, anıtsal çeşmelerdir.

Musluk: Çeşmelerde borudan gelen suyun boşa akmasını engellemek için istenildiğinde suyu kesmeye ve akıtmaya yarayan madeni parçadır. Devamlı su akan borunun Arapça karşılığı olan maslak kelimesinden gelir. Çeşmede su borusunun ağzına takılan ve burularak açılıp kapatılan musluk, burma olarak da adlandırılırdı.

Musluk tablası/ Musluk taşı: Çeşmelerde lüle ya da musluğun yer aldığı, genelde süslemeli taş bölümdür. Bkz. Ayna taşı.

Namazgâhlı çeşme: Namazgâh ile çeşmenin birlikte tasarlandığı örneklerdir. Çeşmenin hazne üzeri düz bırakılıp namazgâh olarak kullanılmıştır ya da çeşmenin ön yüzü çeşme, arka yüzü namazgâh taşı işlevi görmüştür.

Oda çeşmeleri: Saraylarda, köşklerde, konutlarda, oda, sofa, mutfak, hela gibi iç mekanlarda yer alan küçük çeşmelerdir.

Pencere sebilleri: Yapı yüzeylerinde bir ya da daha fazla sayıda pencereden ibaret olan sebillerdir.

Saka: Çeşmelerden su taşıyan görevlilerdir. Sakalar Loncası'na bağlı olan sakalar, 15. yüzyıldan 19. yüzyıla kadar İstanbul'un suyunu, evlere bu loncaya bağlı olarak taşımışlardır.

Sebil: Halka, parasız içilecek su dağıtılan hayır yapılarıdır. Mecazi anlamda Allah yolunda anlamına gelen Fi-sebilillâh, Allah rızası için başka hiçbir karşılık beklemeden yapılan hayır anlamı taşır ve sebil bu amaca hizmet eder. Sebil kelimesi, yollar üzerinde gelip geçenlere hayır için parasız su ikram etmek amacıyla yaptırılan binalar, sebilhaneler ile hayrat çeşmeler için de kullanılmıştır. Ayrıca, hayır amaçlı parasız dağıtılan soğuk içeceklere de sebil denilmiştir.

Sebilci: Sebil tezgâhında sıra sıra dizili bulunan pirinç ya da bakır su taslarını, su içmek isteyenlere sunarlar ve boşalan tasları doldururlardı. Bu tasların temizliği ile genel olarak sebilin temizliği ve düzeninden sebilciler sorumlu olmuştur. Sebilci, yalnızca sebillerde görev yapanlar için kullanılan bir terim değildir. Sokaklarda dolaşarak yine hayır için içme suyu dağıtanlara da sebilci denir.

Sebilhane: Kısaca sebil denilen yapılardır. Bkz. Sebil.

Sebil-küttab: Sebil ile mektebin birlikte bulunduğu yapı türü.

Sebil eteği: Yerden yaklaşık bel hizasına kadar yüksekte, üzerinde tezgâh ve pencere açıklıklarını oluşturan sütunların oturduğu duvar yüzeyi.

Sebil tezgâhı: Sebil eteği üzerinde, pencere açıklıklarını oluşturan sütunların oturduğu ve insanlara içecek sunulan su taslarının dizilip servis yapıldığı bölümdür.

Set/ Seki taşı/ Tekne seti: Çeşmenin tekne/kurna/yalak bölümlerinin iki yanında, taş ya da mermerden oturmaya veya su kaplarını koymaya yarayan bölümlerdir. Bazı örneklerde çeşmenin iki tarafına mihrap nişi gibi dinlenme yeri de yapılmıştır.

Su verme aralığı: Sebil şebekelerinin alt kısmında, bir elin rahatlıkla sığabileceği ve su taslarının geçebileceği büyüklükte, sütun ve kemer sisteminden oluşan açıklıklardır.

Sütun çeşme: Sütun biçimli çeşmelerdir. Su haznesi yoktur. Teknolojinin imkânlarından yararlanılarak boru sistemleriyle ince, uzun, yuvarlak ya da dörtgen çeşme gövdesinden bir lüle veya musluk aracılığıyla şebeke suyu öndeki küçük tekne/kurnaya akıtılmıştır.

Şadırvan: Çeşme ve sebil grubundan ayrıdır. Ancak, şadırvan çeşme ile karıştırılmamalıdır. Şadırvan, cami avlularında yer alan, abdest almak için kullanılan üzeri açık ya da kapalı hazneli ve cephelerinde musluk yer alan yapılardır.

Şadırvan çeşme: Bir havuz ortasında, su akıtan lüleleri olan taş direk, sütun veya paye biçiminde örnekleri görülen ve suyun havuzdan kullanıldığı yapılardır.

Şebeke: Parmaklıkla aynı fonksiyona sahip, ancak parmaklıklara göre dekoratif yönden çok daha zengin ve süslü olan, tunç, pirinç ya da demirden genellikle döküm tekniği ile yapılmış, dekoratif ve fonksiyonel bir elemandır.

Tas Nişi/ Maşrapa yuvası: Çeşmelerde, su içmede kullanılan tas ya da maşrapaların konulduğu, musluğun üst kısmında simetrik olarak iki yanda ya da tek yanında yer alan, genellikle kemerli küçük girinti biçimindeki alanlardır.

Tekne/ Kurna/ Yalak: Çeşme önlerinde, lüle ya da musluktan akan suyun toplandığı ve boşaltıldığı alanlara, tekne, kurna, yalak gibi isimler verilmiştir.

KAYNAKÇA

Ak, Özgönül. *Osmanlı Devri İstanbul Sıbyan Mektepleri Üzerine Bir İnceleme.* İstanbul: İTÜ Mimarlık Fakültesi. 1968.

Arel, Ayda. *Onsekizinci Yüzyıl İstanbul Mimarisinde Batılılaşma Süreci.* İstanbul: İTÜ Mimarlık Fakültesi. 1975.

Aslanapa, Oktay ve Ernst Diez. *Türk Sanatı.* İstanbul: İÜ Edebiyat Fakültesi. 1955.

Aynur, Hatice ve Hakan T. Karateke. *III. Ahmed Devri İstanbul Çeşmeleri.* İstanbul: İBB Kültür İşleri Dairesi Başkanlığı. 1995.

Ayverdi, Ekrem Hakkı. "Bala Camii ve Tekke, Türbe, Sebil ve Çeşmeleri". *İstanbul Ansiklopedisi.* Cilt: 4. 1960. 1955-1959.

Barışta, H. Örcün. "Sineperver Valide Sultan Çeşmesi". *Dünden Bugüne İstanbul Ansiklopedisi.* Cilt: 7. İstanbul: Kültür Bakanlığı ve Tarih Vakfı. 1994. 10.

——. *İstanbul Çeşmeleri Azapkapı Saliha Sultan Çeşmesi.* Ankara: Kültür Bakanlığı. 1995.

Batur, Afife. "Alman Çeşmesi". *Dünden Bugüne İstanbul Ansiklopedisi.* Cilt: 1. İstanbul: Kültür Bakanlığı ve Tarih Vakfı. 1993. 208-209.

——. "D'Aronco, Raimondo Tommaso". *Dünden Bugüne İstanbul Ansiklopedisi.* Cilt: 2. İstanbul: Kültür Bakanlığı ve Tarih Vakfı. 1994. 550-551.

Çeçen, Cahit ve Nazım Nirven, Süheyl Ünver. *Azapkapı Çeşmesi.* İstanbul: Sular İdaresi Müdürlüğü. 1954.

Çeçen, Kâzım. *İstanbul'un Vakıf Suları'ndan Üsküdar Suları.* İstanbul: İSKİ. 1991.

——. *İstanbul'un Vakıf Suları'ndan Taksim ve Hamidiye Suları.* İstanbul: İSKİ. 1992.

——. *İstanbul'un Osmanlı Dönemi Suyolları.* İstanbul: İSKİ. 2000.

Derman, M. Uğur. "Yenicâmi Sebîli'nin Kitâbesi". *Lale.* Sayı: 4. İstanbul: Türk Petrol Vakfı. 1986. 14-17.

Egemen, Affan. *İstanbul'un Çeşme ve Sebilleri.* İstanbul: Arıtan Yayınevi. 1993.

Ertuğ, Necdet. (Ed.) *İstanbul Tarihi Çeşmeler Külliyatı 1-3.* İstanbul: İSKİ. 2006.

Eyice, Semavi. "İstanbul (Tarihi Eserler)". *İslâm Ansiklopedisi.* Cilt: 5. İstanbul: MEB. 1967. 1214/89-99.

——. "Türk Sanatında Şebekeler Parmaklıklar". *Sanat Dünyamız.* Sayı: 6. İstanbul: YKY. 1976. 32-41.

Gök, Mesut ve diğer. *Ab-ı Hayat Geçmişten Günümüze İstanbul'da Su Kültürü.* İstanbul: Adell Armatür, 2010.

Haskan, Mehmet Nermi. *Eyüpsultan Tarihi*. İstanbul: Eyüpsultan Vakfı, 1996.

——. *Yüzyıllar Boyunca Üsküdar*. Cilt: 3. İstanbul: Üsküdar Belediyesi Üsküdar Araştırmaları Merkezi. 2001.

Kara, İsmail ve Salih Pulcu. (Haz.) *A. Süheyl Ünver'in İstanbul'u*. İstanbul: İBB Kültür İşleri Daire Başkanlığı. 1996.

Karakaya, Enis. "İshak Ağa Çeşmesi". *Dünden Bugüne İstanbul Ansiklopedisi*. Cilt: 4. İstanbul: Kültür Bakanlığı ve Tarih Vakfı. 1994. 194.

Karateke, Hakan T. ve Hatice Aynur. *III. Ahmed Devri İstanbul Çeşmeleri*. İstanbul: İBB Kültür İşleri Dairesi Başkanlığı. 1995.

Kemalettin, A., "Çeşme Abidelerimiz". *Mimar*. S. 6. İstanbul, 1934. s. 207-211.

Kerametli, Can. *Galata Mevlevihanesi Divan Edebiyatı Müzesi*. İstanbul: TTOK. 1977.

Koçu, Reşad Ekrem. "Ayasofya Çeşmesi". *İstanbul Ansiklopedisi*. Cilt: 3. 1960. 1476-1477.

——. "Azebkapusu Çeşme ve Sebili". *İstanbul Ansiklopedisi*. Cilt: 3. 1960. 1679-1683.

——. "Bostancıbaşı Derbendi Çeşmesi". *İstanbul Ansiklopedisi*. Cilt: 6. 1963. 2999-3000

Konyalı, İbrahim Hakkı. *Abideleri ve Kitabeleriyle Üsküdar Tarihi*. Cilt: 2. İstanbul: Türkiye Yeşilay Cemiyeti. 1977.

Kuban, Doğan. "Recai Mehmed Efendi Sıbyan Mektebi ve Sebili". *Dünden Bugüne İstanbul Ansiklopedisi*. Cilt: 6. İstanbul: Kültür Bakanlığı ve Tarih Vakfı. 1994. 311

Kumbaracılar, İzzet. *İstanbul Sebilleri*. İstanbul: Devlet Basımevi. 1938.

Nirven, Saadi Nazım. *İstanbul'da Fatih II. Sultan Mehmed Devri Türk Su Medeniyeti*. İstanbul, 1953.

Ödekan, Ayla. "Kentiçi Çeşme Tasarımında Tipolojik Çözümleme". *Semavi Eyice Armağanı İstanbul Yazıları*. İstanbul: TTOK. 1992. 281-298.

——. "Çeşmeler". *Dünden Bugüne İstanbul Ansiklopedisi*. Cilt: 2. İstanbul: Kültür Bakanlığı ve Tarih Vakfı. 1994. 488-491.

Özdeniz, Engin. *İstanbul'daki Kaptan-ı Deryâ Çeşmeleri ve Sebilleri*. İstanbul: Deniz Kuvvetleri Komutanlığı. 1995.

Pilehvarian, Nuran K., Nur Urfalıoğlu ve Lütfi Yazıcıoğlu. *Osmanlı Başkenti İstanbul'da Çeşmeler*. İstanbul: YEM. 1999.

Sarıdikmen, Gül ve Ömer Faruk Şerifoğlu. "Boğaziçi'nin Çeşme ve Sebilleri". *Geçmişten Günümüze Boğaziçi*. İstanbul: İBB ve TAÇ Vakfı. 2008. 505-541.

Sarıdikmen, Gül. 17.-19. *Yüzyıl İstanbul Sebillerindeki Madeni Şebekeler*. Çanakkale: Onsekiz Mart Üniversitesi Sosyal Bilimler Enstitüsü. Yayımlanmamış yüksek lisans tezi. 2001.

——. "Gravür ve Resimlerle Üsküdar Çeşme ve Sebillerine Bakış". *Üsküdar Sempozyumu I, 23-25 Mayıs 2003 Bildiriler*. Cilt: 2. İstanbul: Üsküdar Belediyesi Üsküdar Araştırmaları Merkezi. 2004.

——. "Resimler ve Gravürlerde Azapkapı Saliha Sultan Çeşmesi ve Sebili". *Dünü ve Bugünü İle Haliç Sempozyumu Bildirileri 22-23 Mayıs 2003*. İstanbul: Kadir Has Üniversitesi. 2004.

——. "Resimlerde Emirgân Meydan Çeşmesi". *Fen Edebiyat*. İstanbul: MSGSÜ Fen Edebiyat Fakültesi. Sayı: 5. 2006. 163-179.

——. *Türk Resminde İstanbul'un Mimarlık Örnekleri 1860-1960*. İstanbul: MSGSÜ Sosyal Bilimler Enstitüsü Sanat Tarihi Bölümü. Yayımlanmamış doktora tezi. 2007.

——. "Yok Olan ve Değişen Mimarlık Örnekleriyle Resimlerde Üsküdar". *Uluslararası V. Üsküdar Sempozyumu Bildirileri, 1-5 Kasım 2007*. Cilt: 1. İstanbul: Üsküdar Belediyesi. 2008. 573-600.

Şehsuvaroğlu, Halûk, Y. "Galata Mevlevihanesi". *TTOK Belleteni*. Şubat, 9. 1962.

Şerifoğlu, Ömer Faruk. *Su Güzeli İstanbul Sebilleri*. İstanbul: İBB Kültür İşleri Dairesi Başkanlığı. 1995.

——. "Çeşmeler ve Sebiller". *Geçmişten Günümüze Beyoğlu*. Cilt: 1. İstanbul: İBB ve TAÇ Vakfı. 2004. 191-212.

——. "Boğaziçi'nde 200 Yaşında Bir Biblo: Küçüksu Çeşmesi". *Sinan Genim'e Armağan – Makaleler*. İstanbul: TAÇ Vakfı. 2005. 592-601.

Tanışık, İbrahim Hilmi. *İstanbul Çeşmeleri I – İstanbul Ciheti*. İstanbul: Maarif Vekilliği Antikite ve Müzeler Müdürlüğü. 1943.

——. *İstanbul Çeşmeleri II – Beyoğlu ve Üsküdar Cihetleri*. İstanbul: MEB Eski Eserler ve Müzeler Umum Müdürlüğü. 1945.

Tanman, M. Baha. "Bala Külliyesi". *Dünden Bugüne İstanbul Ansiklopedisi*. Cilt: 2. İstanbul: Kültür Bakanlığı ve Tarih Vakfı. 1994. 6-9.

——. "Oğlanlar Tekkesi". *Dünden Bugüne İstanbul Ansiklopedisi*. Cilt: 6. İstanbul: Kültür Bakanlığı ve Tarih Vakfı. 1994. 123-124.

Uğurlu, Veysel ve Ş. Aydın. (Haz.). *Hoca Ali Rıza*. İstanbul: Yapı Kredi Yayınları, tarihsiz.

Ünsal, Behçet. "İstanbul'un İmarı ve Eski Eser Kaybı". *Türk Sanatı Tarihi Araştırma ve İncelemeleri II*. İstanbul: İstanbul DGSA Türk Sanatı Tarihi Enstitüsü. 1969. 6-61.

———. "Stil Yönünden, Klasik Sonrası, Türk Mimarlığında Sebil Anıtları". *Taç*. Cilt: 1. Sayı: 3. 1986. 16-25.

———. "Türk Mimarlığında Klasik Sebil Anıtları". *Taç*. Cilt: 2. Sayı: 6. 1987. 9-22.

Ünver, Süheyl ve diğer. *Azapkapı Çeşmesi*. İstanbul: İstanbul Belediyesi Sular İdaresi Müdürlüğü. 1954.

Yavaş, Doğan. "Seyyid Hasan Paşa Külliyesi". *Dünden Bugüne İstanbul Ansiklopedisi*. Cilt: 6. İstanbul: Kültür Bakanlığı ve Tarih Vakfı. 1994. 543-544.

Yüngül, Naci. *Üsküdar Üçüncü Sultan Ahmet Çeşmesi*. İstanbul: İstanbul Belediyesi Sular İdaresi. 1955.

———. *Taksim Suyu Tesisleri*. İstanbul: İstanbul Belediyesi Sular İdaresi. 1957.

———. *Tophane Çeşmesi*. İstanbul: İstanbul Belediyesi Sular İdaresi. 1958.